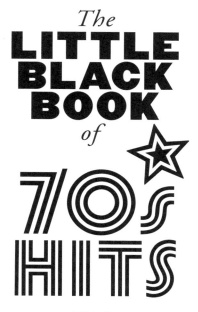

The LITTLE BLACK BOOK of 70s HITS

Published by
Wise Publications
14-15 Berners Street, London W1T 3LJ, United Kingdom.
Exclusive distributors:
Music Sales Limited
Distribution Centre,
Newmarket Road, Bury St Edmunds, Suffolk, IP33 3YB, United Kingdom.
Music Sales Pty Limited
20 Resolution Drive, Caringbah, NSW 2229, Australia.

Order No. AM996919
ISBN 978-1-84938-006-5

Compiled by Nick Crispin.
Edited by Adrian Hopkins.
Music processed by Paul Ewers Music Design.
Cover designed by Michael Bell Design.

Printed in China.

www.musicsales.com

Wise Publications
part of The Music Sales Group

London / New York / Paris / Sydney / Copenhagen / Berlin / Madrid / Tokyo

Abraham, Martin & John

Words & Music by Dick Holler

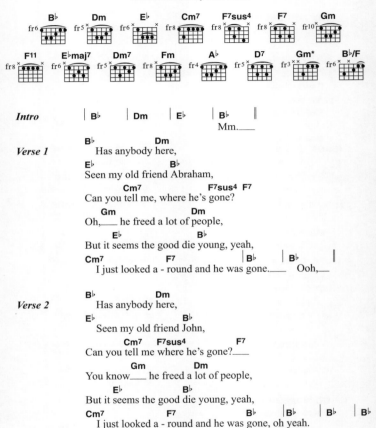

Intro | Bb | Dm | Eb | Bb ‖
Mm.___

Verse 1
    Bb   Dm
   Has anybody here,
Eb   Bb
Seen my old friend Abraham,
      Cm7   F7sus4 F7
Can you tell me, where he's gone?
    Gm   Dm
Oh,___ he freed a lot of people,
          Eb
But it seems the good die young, yeah,
Cm7   F7 | Bb | Bb ‖
   I just looked a - round and he was gone.___ Ooh,___

Verse 2
    Bb   Dm
   Has anybody here,
Eb   Bb
  Seen my old friend John,
      Cm7 F7sus4   F7
Can you tell me where he's gone?___
      Gm   Dm
You know___ he freed a lot of people,
      Eb   Bb
But it seems the good die young, yeah,
Cm7   F7   Bb | Bb | Bb | Bb
   I just looked a - round and he was gone, oh yeah.

Verse 3

B♭   Dm
  Has any - body here,

E♭   B♭
Seen my old friend Martin,

        Cm7   F7sus4   F7
Can you tell me where he's gone?

Gm   Dm
  He freed a lot of people,

      E♭   B♭
But it seems the good die young, yeah,

Cm7   F11   B♭ | B♭ ‖
  I just looked a - round and he was gone.

Bridge

E♭maj7	Dm7	Cm7 F11	B♭
Mm ___	mm ___	mm ___	mm.___
E♭maj7	Dm7	Cm7	F11
Mm ___	mm ___	mm ___	mm.___
B♭	B♭	Fm	B♭ A♭

| N.C.(B♭) | (B♭) | (F11) | F7 ‖

Verse 4

B♭   Dm
  Has any-body here,

E♭   B♭
  Seen my friend Bobby,

        Cm7   F7sus4   F7
Can you tell me where he's gone?___

        Gm   Dm
You know___ he freed a lot of people,

E♭   B♭
  But the good they die young, yeah,

Cm7   F11   B♭ | B♭ ‖
  I ___ just looked around and he was gone.

Outro

‖: B♭ | Dm7 | D7 | Gm* B♭/F
Ooh.___

    Cm7   F11
Oh, I just looked a - round,

        B♭ | B♭ :‖ *Repeat to fade*
They were gone, oh yeah.

The Air That I Breathe

Words & Music by Albert Hammond & Mike Hazlewood

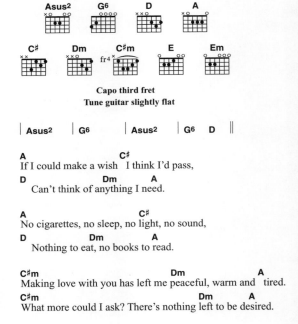

Capo third fret
Tune guitar slightly flat

Intro | Asus² | G⁶ | Asus² | G⁶ D ‖

Verse 1
A   C♯
If I could make a wish I think I'd pass,
D   Dm   A
  Can't think of anything I need.

Verse 2
A   C♯
No cigarettes, no sleep, no light, no sound,
D   Dm   A
  Nothing to eat, no books to read.

Bridge
C♯m   Dm   A
Making love with you has left me peaceful, warm and tired.
C♯m   Dm   A
What more could I ask? There's nothing left to be desired.

Verse 3
A   C♯
Peace came upon me and in peace we weep,
D   Dm   A
  So sleep, silent angel, go to sleep.

Chorus 1
A   E   A
Sometimes all I need is the air that I breathe and to love you.
             E   A
All I need is the air that I breathe, yes, to love you.
           E   Em D A E
All I need is the air that I breathe. _____

Instrumental | **Em** | **D** | **A** | **E** ‖

Verse 4
    A   **C**♯
Peace came upon me and in peace we'll weep,
     D   **Dm**   **A**
So sleep, silent angel, go to sleep.

Chorus 2
    A   **E**   **A**
Sometimes all I need is the air that I breathe and to love you.
                E   **A**
All I need is the air that I breathe, yes, to love you.
                E   **Em D A E**
All I need is the air that I breathe. _____

Chorus 3
    A   **E**   **A**
Sometimes all I need is the air that I breathe and to love you.
                E   **A**
All I need is the air that I breathe, yes, to love you.
                E   **A**
All I need is the air that I breathe, yes, to love you.   *To fade*

All Around My Hat

Traditional
Arranged by Peter Knight, Maddy Prior,
Tim Hart, Bob Johnson, Rick Kemp & Nigel Pegrum

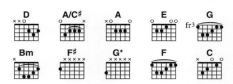

Chorus 1

N.C.
All around my hat I will wear the green willow,

And all around my hat for a twelve-month and a day.

And if anyone should ask me the reason why I'm wearing it,

It's all for my true love who's far, far away.

Verse 1

  D   A/C#   D   A
Fare thee well cold winter and fare thee well cold frost,

      D   A/C# D   E   A/C#
For nothing have I gained but my own true love I've lost.

    A   D   G   Bm
I'll sing and I'll be merry when oc - casion I do see,

  D   A/C# D   A/C#   D
He's a false de - luded young man, let him go farewell he.

Verse 2

      D   A/C#   D   A
The other night he brought me a fine diamond ring,

     D   A/C#   D   E   A/C#
But he thought to have de - prived me a far better thing.

  A   D   G   Bm
But I, being careful like lovers ought to be,

    D   A/C# D   A/C# D
He's a false de - luded young man, let him go farewell he.

      D   **A/C♯**   **D F♯ G* D**   **A/C♯**
And all a - round my hat I   will wear the green willow,
      D   **A/C♯**   **D F♯ G* D**   **E**   **A/C♯**
And all a - round my hat for a   twelve-month and a day.
      A   **D**   **G**
And if anyone should ask me the reason why I'm wearing it,
A D A/C♯ D   **A/C♯ D**
It's all for my true love who's far, far a - way.

Interlude | **F C** | **F** | **C G** |

           | **C** | **A E** | **A** ||

Verse 3

      D   **A/C♯**   **D**   **A**
Here's a quarter pound of reasons, and a half pound of sense,
D   **A/C♯** **D**   **E**   **A**
A small sprig of time and as much of pru - dence.
                D   **G**   **Bm**
You mix them all to - gether and you will plainly see,
      D   **A/C♯ D**   **A/C♯**   **D**
He's a false de - luded young man, let him go farewell he.

Chorus 3   As Chorus 2

              N.C.
Chorus 4   All around my hat I will wear the green willow,

     And all around my hat for a twelve-month and a day.

     And if anyone should ask me the reason why I'm wearing it,

     It's all for my true love who's far, far away.

     D   **A/C♯**   **D**   **A**
Chorus 5   All a - round my hat I will wear the green willow,
         D   **A/C♯**   **D**   **E**   **A**
And all a - round my hat for a twelve-month and a day.
                D   **G**   **Bm**
And if anyone should ask me the reason why I'm wearing it,
A D A/C♯ D   **A/C♯ D**
It's all for my true love who's far, far a - way.

All The Young Dudes

Words & Music by David Bowie

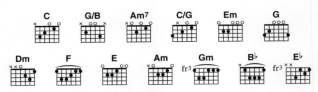

C   G/B   Am7   C/G   Em   G

Dm   F   E   Am   Gm   B♭   E♭

Tune slightly flat

Intro | C   G/B | Am7   C/G | Em | G   ‖

Verse 1
           C   **G/B**
Billy rapped all night about his suicide,
           Am7   **C/G**
How he'd kick it in the head when he was   twenty-five.
Em   **G**
  Speed jive, don't wanna stay alive, when you're twenty-five.

Verse 2
C   **G/B**
Wendy's stealing clothes from Marks and Sparks,
Am7   **C/G**   **Em**
Freddy's got spots from ripping off stars   from his face,
              G
Funky little boat race.

Pre-chorus 1
       Dm   **F**
The television man is crazy,
          E   **Am**
Saying we're juvenile delinquent wrecks.
F   **C**   **G**
Man, I need TV when I got T. Rex,

Hey brother you guessed, I'm a dude.

Chorus 1
‖: **C** **G/B**   **Am7** **C/G**   **Gm**
   All the young dudes   carry the news.
B♭   **E♭** **B♭**   **F** **B♭** **G**
Boogaloo dudes carry the news._____ :‖

Verse 3

             C   G/B

Now Jimmy's looking sweet, though he dresses like a queen,

              Am7   C/G

He can kick like a mule, it's a real mean team,

Em   G

We can love, oh yes, we can love.

Verse 4

             C   G/B

And my brother's back at home with his Beatles and his Stones,

              Am7   C/G

We never got it off on that revolution stuff,

Em   G

What a drag, too many snags.

Pre-chorus 2

             Dm   F

Well I drunk a lot of wine and I'm feeling fine,

             E   Am

Gonna race some cat to bed.

             F   C   G

Is there concrete all around or is it in my head?

Yeah, I'm a dude, dad.

Outro

‖: C G/B   Am7 C/G   Gm

    All the young dudes carry the news.

B♭   E♭ B♭   F   B♭ G

Boogaloo dudes carry the news._____ :‖ *Repeat to fade*

American Girl

Words & Music by Tom Petty

Intro

‖: D | D | D | D :‖

‖: D | E/D | G/D | Dsus2/A :‖

Verse 1

D   E7
Well, she was an American girl,

G   A
Raised on promises,

D   E7
She couldn't help thinking that,

          G   A
There was a little more to life somewhere else.

                  D
After all, it was a great big world,

G   D/F♯ Em
With lots of places to run to,

A
And if she had to die trying,

She had one little promise she was gonna keep.

Chorus 1

G   A   D
Oh yeah,   alright,   take it easy, baby,

Bm
Make it last all night.

G   A   D
She was   an American girl.

Verse 2

   D   **E⁷**
     Well, it was kind of cold that night,

G   **A**
She stood alone on the balcony.

  D   **E⁷**
   Yeah, she could hear the cars roll by,

       G
Out on Four Forty One.

    A
Like waves crashing on the beach,

                D
And for one desperate moment there,

G   **D/F♯** **Em**
He crept back in her memory.

A
God, it's so painful when something that is so close,

Is still so far out of reach.

Chorus 2

G   **A**   **D**
  Oh yeah,   alright,   take it easy, baby,

Bm
   Make it last all night.

G   **A**   **D**
  She was   an American girl.

Instrumental | **G⁷** | **A⁷** **D⁷** | **G⁷** | **A⁷** **D⁷** |

                  | **G⁷** | **A⁷** **D⁷** | **G⁷** | **A⁷** ||

Link | **D** | **D** | **D** | **D** |

            | : **D** | **E/D** | **G/D** | **Dsus²/A** : ||

Coda | : **D** | **E⁷** | **G** | **Dsus²/A** : | *Repeat to fade*

Another Girl, Another Planet

Words & Music by Peter Perrett

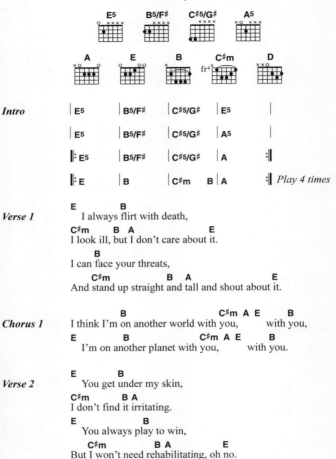

Intro

| E5 | B5/F♯ | C♯5/G♯ | E5 | |

| E5 | B5/F♯ | C♯5/G♯ | A5 | |

‖: E5 | B5/F♯ | C♯5/G♯ | A :‖

‖: E | B | C♯m B | A :‖ *Play 4 times*

Verse 1

    E   B
   I always flirt with death,

C♯m   B A   E
I look ill, but I don't care about it.

     B
I can face your threats,

     C♯m   B A   E
And stand up straight and tall and shout about it.

Chorus 1

               B   C♯m A E   B
I think I'm on another world with you,   with you,

E   B   C♯m A E   B
  I'm on another planet with you,   with you.

Verse 2

    E   B
   You get under my skin,

C♯m   B A
I don't find it irritating.

E   B
   You always play to win,

    C♯m   B A   E
But I won't need rehabilitating, oh no.

<table>
<tr><td>***Chorus 2***</td><td>

             B   **C♯m A E**   **B**
</td></tr>
</table>

Chorus 2

            B   **C♯m A E**   **B**
I think I'm on another world with you,   with you,
E   **B**   **C♯m A E**   **B**
  I'm on another planet with you,   with you.

Bridge

  E   **A**   **E**   **A**
  Another girl, another planet,
  E   **B**   **D**   **A**
  Another girl, another planet.

Guitar Solo ‖: **E** | **B** | **C♯m**   **B** | **A**   :‖ *Play 6 times*

Verse 3

  E   **B**
   Space travel's in my blood,
C♯m   **B**   **A**   **E**
There ain't nothing I can do about it.
             B
Long journeys wear me out,
  C♯m   **B**   **A**   **E**
But   I know I can't live without it, I know,

Chorus 3

            B   **C♯m A E**   **B**
I think I'm on another world with you,   with you,
E   **B**   **C♯m A E**   **B**
  I'm on another planet with you,   with you.

Outro

  E   **B C♯m** **B** **E**   **A**
  Another girl   is loving you now,
  E   **B**   **C♯m** **B**   **C♯m A**
  Another planet,   is   holding you down,
  D   **B**   **E**
  Another planet.

Baker Street

Words & Music by Gerry Rafferty

Intro ‖: G/A | E♭/F | F/G | F/G :‖ *Play 3 times*

Sax solo 1 ‖: D | D F/G | D | D F/G |

| C | Asus⁴ | G | G :‖

Verse 1

  A   D/A   A D/A
Winding your way down on Baker Street,

A   D/A A D/A
Light in your head and then on your feet.

        Em   G
Well, another crazy day, you drink the night away,

        D   G/D D
And forget about every - thing.

A   D/A   A   D/A
This city desert makes you feel so cold,

    A   D/A   A   D/A
It's got so many people but it's got no soul,

      Em   G
And it's taken me so long to find out you were wrong,

        D   G/D D
When you thought it held every - thing.

Chorus 1

Dm7   Am
  You used to think that it was so easy,

Dm7   Am
  You used to say that it was so easy,

    C
But you're trying,

G   D   D7
You're trying now.

Dm7   Am
  Another year and then you'll be happy,

Dm7   Am
  Just one more year and then you'll be happy,

    C
But you're crying,

G/B   A   F/G
You're crying now.

Sax solo 2

‖: D | D F/G | D | D F/G |

| C | Asus4 | G | G   :‖

Verse 2

A   D/A   A   D/A
  Way down the street there's a man in his place,

    A   D/A   A   D/A
He opens the door, he's got that look on his face.

         Em
And he asks you where you've been,

     G   D   G/D D
You tell him who you've seen and you talk about any - thing.

A   D/A   A
  He's got this dream about buying some land,

D/A   A   D/A   A   D/A
He's gonna   give up the booze and the one night stands,

        Em   G
And then he'll settle down in some quiet little town,

        D   G/D D
And forget about every - thing.

Chorus 2

Dm7   Am
  But you know he'll always keep moving,

Dm7   Am
  You know he's never gonna stop moving,

        C
'Cause he's rolling,

G   D   D7
He's the rolling stone.

cont.

Dm7   Am
  And when you wake up it's a new morning,

Dm7   Am
 The sun is shining, it's a new morning,

  C
But you're going,

G/B   A   F/G
You're going home.

| *Sax solo 3* | ‖: D | \| D F/G | \| D | \| D F/G \| |
| | \| C | \| Asus4 | \| G | \| G   :‖ |

| *Middle* | ‖: G/A | \| E♭/F | \| F/G | \| F/G :‖ | *Play 3 times* |

| *Guitar solo* | ‖: D | \| D F/G | \| D | \| D F/G \| |
| | \| C | \| Asus4 | \| G | \| G   :‖ |

| *Outro/* | ‖: D | \| D F/G | \| D | \| D F/G \| |
| *Sax solo 4* | \| C | \| Asus4 | \| G | \| G :‖ | *Repeat to fade* |

The Boys Are Back In Town

Words & Music by Phil Lynott

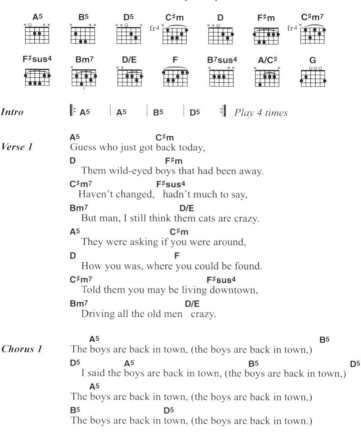

Intro ‖: A5 | A5 | B5 | D5 :‖ *Play 4 times*

Verse 1

A5   C♯m
Guess who just got back today,

D   F♯m
Them wild-eyed boys that had been away.

C♯m7   F♯sus4
Haven't changed,   hadn't much to say,

Bm7   D/E
But man, I still think them cats are crazy.

A5   C♯m
They were asking if you were around,

D   F
How you was, where you could be found.

C♯m7   F♯sus4
Told them you may be living downtown,

Bm7   D/E
Driving all the old men crazy.

Chorus 1

       A5   B5
The boys are back in town, (the boys are back in town,)

D5   A5   B5   D5
I said the boys are back in town, (the boys are back in town,)

       A5
The boys are back in town, (the boys are back in town,)

B5   D5
The boys are back in town, (the boys are back in town.)

Instrumental 1 ‖: A5 | B7sus4 A/C♯ | D/E :‖

Verse 2

A5   C♯m
You know that chick that used to dance a lot?

D   F♯m
Every night she'd be on the floor shaking what she got.

C♯m7   F♯sus4
Man, when I tell you she was cool, she was red hot,

Bm7   D/E
I mean... she was steaming!

A5   C♯m
And that time over at Johnny's place,

D   F
Well, this chick got up and she slapped Johnny's face.

C♯m7   F♯sus4
Man, we just fell about the place,

Bm7   D/E
If that chick don't wanna know,   forget her.

Chorus 2

A5   B5
The boys are back in town, (the boys are back in town,)

D5   A5   B5   D5
I said the boys are back in town, (the boys are back in town,)

A5
The boys are back in town, (the boys are back in town,)

B5   D5
The boys are back in town, (the boys are back in town.)

Instrumental 2 ‖: A5 | B7sus4 A/C♯ | D/E :‖

‖: G | D | C♯m7 | F♯sus4 | Bm7 | D/E | F♯sus4 | F♯sus4 :‖

Verse 3

A5   C♯m
Friday night   dressed to kill,

D   F♯m
Down at Dino's bar and grill.

C♯m7   F♯sus4
The drink will flow   and blood will spill

Bm7   D/E
And if the boys wanna fight you better let 'em.

20

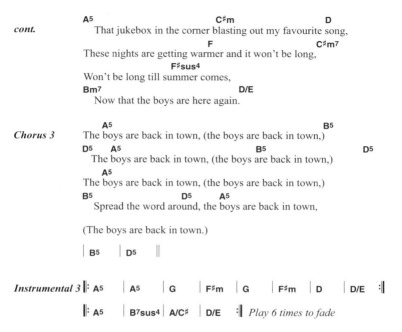

cont.

    A⁵   **C♯m**   **D**

That jukebox in the corner blasting out my favourite song,

                                    F   **C♯m⁷**

These nights are getting warmer and it won't be long,

                     F♯sus⁴

Won't be long till summer comes,

Bm⁷   **D/E**

Now that the boys are here again.

Chorus 3

    A⁵   **B⁵**

The boys are back in town, (the boys are back in town,)

D⁵   **A⁵**   **B⁵**   **D⁵**

The boys are back in town, (the boys are back in town,)

    A⁵

The boys are back in town, (the boys are back in town,)

B⁵   **D⁵**   **A⁵**

Spread the word around, the boys are back in town,

(The boys are back in town.)

| **B⁵** | **D⁵** ‖

Instrumental 3 ‖: **A⁵** | **A⁵** | **G** | **F♯m** | **G** | **F♯m** | **D** | **D/E** :‖

‖: **A⁵** | **B⁷sus⁴** | **A/C♯** | **D/E** :‖ *Play 6 times to fade*

Band Of Gold

Words & Music by Ronald Dunbar & Edith Wayne

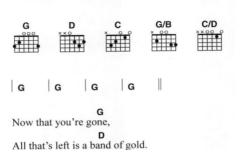

Intro | G | G | G | G   ‖

Chorus 1

                  G
Now that you're gone,

               D
All that's left is a band of gold.

               C
All that's left of the dreams I hold,

Is a band of gold.

    G/B   **C**
And the memories of what love could be,

    G/B   **C/D**
If you are still here with me.

Verse 1

     G   **D**
You took me from the shelter of a mother I had never known,

Who loved any other.

C   **G/B**   **C**
We kissed after taking vows, but that night on our honeymoon,

G/B   **C/D**
We stayed in separate rooms.

Verse 2

    G   **D**
I wait in the darkness of my lonely room,

              C
Filled with sadness, filled with gloom.

        G/B   **C**
Hoping soon that you'll walk back through that door,

     G/B   **C/D**
And love me like you tried before.

Chorus 2

         G
Since you've been gone,

                  D
All that's left is a band of gold.

                  C
All that's left of the dreams I hold,

Is a band of gold,

        G/B   C
And the dream of what love could be,

      G/B   C/D
If you are still here with me.

Instrumental | G | G | D | D | C | C |

| G | G | G | G ‖

Verse 3

                        G   D
Ooh, don't you know that I wait in the darkness of my lonely room,

                  C
Filled with sadness, filled with gloom.

                  G/B   C
Hoping soon that you'll walk back through that door,

                G/B   C/D
And love me like you tried before.

Chorus 3

          G
‖: Since you've been gone,

                  D
All that's left is a band of gold.

                  C
All that's left of the dreams I hold,

Is a band of gold,

        G/B   C
And the dream of what love could be,

      G/B   C/D
If you are still here with me. :‖   *Repeat to fade*

Blanket On The Ground

Words & Music by Roger Bowling

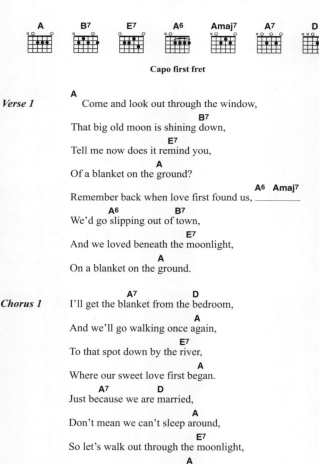

A   B7   E7   A6   Amaj7   A7   D

Capo first fret

Verse 1

    A
    Come and look out through the window,

                 B7
That big old moon is shining down,

             E7
Tell me now does it remind you,

         A
Of a blanket on the ground?

                       A6   Amaj7
Remember back when love first found us, _____

  A6   B7
We'd go slipping out of town,

                E7
And we loved beneath the moonlight,

         A
On a blanket on the ground.

Chorus 1

      A7   D
I'll get the blanket from the bedroom,

                 A
And we'll go walking once again,

           E7
To that spot down by the river,

               A
Where our sweet love first began.

   A7   D
Just because we are married,

             A
Don't mean we can't sleep around,

              E7
So let's walk out through the moonlight,

          A
And lay the blanket on the ground.

Verse 2

(A)

Oh, remember how excited,

B7

We used to get when love was young,

E7

That old moon was our best buddy,

A

We couldn't wait for night to come.

A6 **Amaj7**

Now you know you still excite me, _____

A6   **B7**

I know you love me like I am,

E7

Just once more I wish you loved me,

A

On a blanket on the ground.

Chorus 2

A7   **D**

I'll get the blanket from the bedroom,

A

And we'll go walking once again,

E7

To that spot down by the river,

A

Where our sweet love first began.

A7   **D**

Just because we are married,

A

Don't mean we can't sleep around,

E7

So let's walk out through the moonlight,

A

And lay the blanket on the ground.

Blockbuster

Words & Music by Nicky Chinn & Mike Chapman

E	Esus4	B	A

Intro | E Esus4 E ‖ E Esus4 E | E Esus4 E | E Esus4 E ‖

| E Esus4 E | E Esus4 E | E Esus4 E | E Esus4 E ‖

    E Esus4 E Esus4   E Esus4 E Esus4
Aah, aah._____ Aah, aah._____

     E   Esus4 E   Esus4
Verse 1   You better beware,   you better take care,
     E   Esus4 E   Esus4
     You better watch out if you've got   long black hair.
     E   Esus4 E   Esus4
     He'll come from behind,   you go out of your mind,
     E   Esus4 E   Esus4
     You'd better not go, you'd never know what you'll find.
     E Esus4 E Esus4 E   Esus4 E Esus4 (E)
Aah, aah._____ Aah, aah._____ Aah, aah._____

     E   Esus4 E   Esus4
Verse 2   You look in his eyes,   don't be surprised,
     E   Esus4 E   Esus4
     If you don't know what's going on behind his disguise.
     E   Esus4 E   Esus4
     Nobody knows   where Buster goes,
     E   Esus4 E
     He'll steal your woman out from under your nose.

          B
Chorus 1   Does anyone know the way, did we hear someone say,
     E
     "We just haven't got a clue what to do."

cont.
      B   **B**
Does anyone know the way, there's got to be a way,

             E
To Block Buster!

Verse 3
Esus4 E   **Esus4 E**   **Esus4**
        The cops are out,   they're running about,
E   **Esus4 E**   **Esus4**
Don't know if they'll ever be able to   Block Buster out.
E   **Esus4 E**   **Esus4**
He's gotta be caught,   he's gotta be taught,
E   **Esus4 E**
'Cause he's more evil than anyone here ever thought.

Chorus 2
      B   **B**
Does anyone know the way, did we hear someone say,
E   **E**
  "We just haven't got a clue" – ow!
      B   **B**
Does anyone know the way, there's got to be a way,
             E
To Block Buster!

Instrumental | **E** | **E** | **E B** | **E B** | **E B E B** | **E**   ‖

Chorus 3
      B   **B**
Does anyone know the way, did we hear someone say,
E   **(N.C)**
  "We just haven't got a clue what to do."
      B   **A**
Does anyone know the way, there's got to be a way,
             E   **E**
To Block Buster!

Outro
‖: **E Esus4 E** | **E Esus4 E** | **E Esus4 E** | **E Esus4**
                                            Aah,
E   **Esus4 E Esus4 E**   **Esus4 E**   **Esus4 E**
Aah,   aah, aah,   aah, aah,
E   **Esus4 E**
Buster, Buster,   to Block Buster!
E   **Esus4 E**
Buster, Buster,   to Block Buster!
E   **Esus4 E**
Buster, Buster,   to Block Buster! :‖ *Repeat to fade*

Burning Love

Words & Music by Dennis Linde

D   Dsus4   G   A   Bm

Intro | D Dsus4 D | D Dsus4 D | D Dsus4 D | D Dsus4 D ‖

Verse 1

D   G   A   D
Lord Almighty, I feel my temperature rising,

                          G   A   D
Higher and higher, it's burning through my soul.

                  G   A   D
Girl, girl, girl, girl, you're gonna set me on fire,

                     G   A   D
My brain is flaming, I don't know which way to go, yeah.

Chorus 1

      Bm   A   G
Your kisses lift me higher,

            Bm   A G
Like the sweet song of a choir.

      Bm   A   G
You light my morning sky,

      A   D   Dsus4 D | D Dsus4 D ‖
With burning love.

Verse 2

D   G   A   D
Ooh ooh ooh ooh, I feel my temperature rising,

                          G   A   D
Help me I'm flaming, I must be one hundred and nine.

                      G   A   D
Burning, burning, burning and nothing can cool me, yeah,

                      G   A   D
I just might turn to smoke but I feel fine.

Chorus 2 As Chorus 1

Solo

Bm　　A　　G
Ah,　ah,　ah,

Bm　　A　　G
Ah,　ah,　ah,

Bm　　A　　G
Ah,　ah,　ah,

A　　　　　D
Burning love.

Verse 3

D　　　　　　　　　　　　G　　　　　　　A　　　　D
It's coming closer, the flames are now licking my body,

　　　　　　　　　　　G　　　　　　A　　　　D
Won't you help me, I feel like I'm slipping away.

　　　　　　　　　　G　　A　　　　D
It's hard to breathe,　my chest is a-heaving,

　　　　　　　　　　　G　　　　　A　　　　　D
Lord have mercy, I'm burning the whole wild day.

Chorus 3

　　　　　Bm　　A　　　　G
Your kisses lift me higher,

　　　　　　　　　Bm　　　　A　G
Like the sweet song of a choir.

　　　　Bm　　A　　　G
You light my morning sky,

　　　　A　　　　D　　G
With burning love.

Coda

(G)　　　D　　　　　G
Burning love, (burning love,)

　　　　　　　D　　　　　　　　　　　G
𝄆 I'm just a hunk-a-hunk of burning love. 𝄇　*Repeat to fade*

Cracklin' Rosie

Words & Music by Neil Diamond

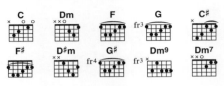

Capo first fret

Intro | C | C | Dm | F G F G ‖

Verse 1
    C
Ah, Cracklin' Rosie, get on board,

                                   F
We're gonna ride till there ain't no more to go,

Taking it slow,

And Lord, don't you know,
    Dm   G
I'll have me a time with a poor man's lady.

Verse 2
    C
Hitching on a twilight train,

                            F
Ain't nothing here that I care to take a - long,

Maybe a song,

To sing when I want,
    Dm   G   C
Don't need to say please to no man for a happy tune.

Chorus 1
C   F   G   C
Oh, I love my Rosie child,
C   F   G   C
You got the way to make me happy,
C   F   G   C
You and me, we go in style,
Dm
Cracklin' Rosie, you're a store-bought woman.

cont.

Dm⁷
You make me sing like a guitar humming,

Dm⁹
So hang on to me, girl,

G
Our song keeps running on,

Play it now,

N.C.
Play it now,

G   **G♯** *(2nd time only)*
Play it now, my baby.

Verse 3

C
Cracklin' Rosie, make me a smile,

F
Girl if it lasts for an hour, that's al - right,

'Cause we got all night,

To set the world right,

Dm   **G**   **C**
Find us a dream that don't ask no questions, yeah.

Chorus 2   As Chorus 1

Verse 4

C♯
Cracklin' Rosie, make me a smile,

F♯
Girl if it lasts for an hour, that's all right,

'Cause we got all night,

To set the world right,

D♯m   **G♯**
Find us a dream that don't ask no question.

Outro   ‖: C♯ | C♯ | C♯ | C♯ |

| F♯ | F♯ | F♯ | F♯ | D♯m | G♯ :‖

Repeat to fade

Coz I Luv You

Words & Music by Noddy Holder & Jim Lea

Am   Dm   B♭

Intro | Am | Am   ‖

Verse 1
Dm
I won't laugh at you, when you boo-hoo-hoo,
Am
Coz I luv you.
Dm
I can't turn my back on the things you like,
Am
Coz I luv you.
B♭   Am
I just like the things you do,
B♭   Am
Don't you change the things you do.

Verse 2
Dm
You get me in a spot, that's all the smile you got,
Am
Then I luv you.
Dm
You make me out a clown and you put me down,
Am
I still luv you.
B♭   Am
I just like the things you do,
B♭   Am
Don't you change the things you do, yeah.

Instrumental   ‖: Dm | Dm | Am | Am   :‖

‖: B♭ | B♭ | Am | Am   :‖

Verse 3

Dm
When you bite your lip, you're going to flip your flip,

Am
But I luv you.

Dm
When we're miles apart, you still reach my heart,

Am
How I luv you.

B♭   Am
I just like the things you do,

B♭   Am
Don't you change the things you do.

Verse 4

Dm
Only time can tell you that I want you,

Am
Coz I luv you.

Dm
Oh, it makes such fun when you're beside my side,

Am
Coz I luv you.

B♭   Am
I just like the things you do,

B♭   Am
Don't you change the things you do.

Outro

‖: Dm | Dm | Am | Am   :‖
With vocal ad lib.

‖: B♭ | B♭ | Am | Am   :‖

‖: Dm | Dm | Am | Am   :‖   *Repeat to fade*

Can The Can

Words & Music by Nicky Chinn & Mike Chapman

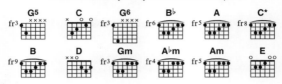

Tune guitar slightly sharp

Intro　　| *Drums*　　**8**　　‖ G5 | G5 | G5 | G5 |

Verse 1

        C
Well you call your mama Tiger,

                G5 G6 G5 G6 G5 G6 G5 G6
And we all know you are lying,

        C
And your boyfriend's name is Eagle,

                G5 G6 G5 G6 G5 G6 G5 G6
And he lives up in the sky (high, high).

      B♭   **A**
Watch out the Tiger don't go claw the Eagle's eyes,

    C*   **B**
But let the Eagle take the Tiger by sur - prise.

           D   **D**
(Scratch out her eyes!)

Chorus 1

        Gm   **B♭**
So make a stand for your man, honey,

Gm   **B♭**   **Gm** **B♭** **Gm** **B♭**
   Try to can the can.

        Gm   **B♭**
Put your man in the can, honey,

Gm   **B♭**   **Gm** **B♭** **Gm** **B♭**
   Get him while you can.

cont.

      Gm   **B♭** **Gm** **B♭**
Can the can,

      Gm   **B♭** **Gm** **B♭**
Can the can,

      D
If you can,

        G5
Well can the can.

Verse 2

        C
Well your sister's got the feline touch,

            G5 G6 G5 G6 G5 G6 G5 G6
She touches up your mind,

        C
And your Eagle lover likes his little bit of evil,

        G5 G6 G5 G6 G5 G6 G5 G6
Loving all the time.

       B♭   **A**
Don't let the Cat get into the Eagle's nest at night,

       C   **B**
Because the Eagle could say "yes" without a   fight.

          D   **D**
(Scratch out her eyes!)

Chorus 2   As Chorus 1

Bridge

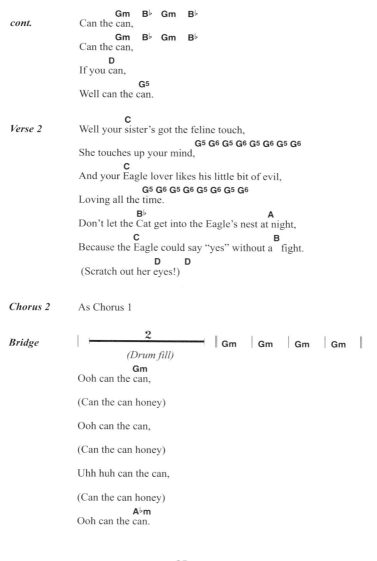

‖   ─────**2**─────   ‖ Gm | Gm | Gm | Gm ‖
      (Drum fill)

      Gm
Ooh can the can,

(Can the can honey)

Ooh can the can,

(Can the can honey)

Uhh huh can the can,

(Can the can honey)

      A♭m
Ooh can the can.

(Can the can honey)

                   Am
           Can the can,

           (Can the can honey)

           Ooh can the can,

           (Can the can honey)

           Ah honey, honey, honey, honey, honey, honey.

                        Am   **C***
Outro   ‖: So make a stand for your man, honey,
           Am   **C***   **Am C* Am   C***
             Try to can the can.
                        Am   **C***
           Put your man in the can, honey,
           Am   **C***   **Am C* Am   C***
             Get him while you can.
                     Am C* Am   C*
           Can the can,
                     Am C* Am   C*
           Can the can,
                     E
           If you can! :‖ *Repeat to fade*

Devil Woman

Words & Music by Terry Britten & Kristine Holmes

Intro

‖: D | Dsus4 | Dm Dsus2 | D5 :‖

Verse 1

D   Dsus4
   I've had nothing but bad luck,
         Dm   Dsus2   D5
Since the day I saw the cat at my door.
D   Dsus4
   So I came into you sweet lady,
Dm   Dsus2   D5
Answering in your mystical call.
   C   Dm*
   Crystal ball on the table,
   C   Dm*   Dsus4*
   Showing the future, the past.
   C   Dm*
   Same cat with them evil eyes,
C   B♭   A
And I knew it was a spell she cast.

Chorus 1

   D5
   She's just a devil woman,

With evil on her mind.

Beware the devil woman,
B♭   C
   She's gonna get you.
D5
   She's just a devil woman,

With evil on her mind.

cont.   Beware the devil woman,
            B♭   **C**   **D** | **Dsus4**| **Dm** **Dsus2** | **D5**
            She's gonna get you from be - hind.

            D   **Dsus4**
Verse 2   Give me the ring on your finger,
            Dm   **Dsus2**   **D5**
            Let me see the lines on your hand.
            D   **Dsus4**
             I can see me a tall dark stranger,
            Dm   **Dsus2**   **D5**
            Giving you what you hadn't planned.
            C   **Dm***
             I drank the potion she offered me,
            C   **Dm*** **Dsus4***
             I found myself on the floor.
            C   **Dm***
             Then I looked into those big green eyes,
            C   **B♭**   **A**
            And I wondered what I'd come there for.

            D5
Chorus 2   She's just a devil woman,

            With evil on her mind.

            Beware the devil woman,
            B♭   **C**
            She's gonna get you.
            D5
             She's just a devil woman,

            With evil on her mind.

            Beware the devil woman,
            B♭   **C**   **B♭ C B♭ C**
            She's gonna get you from be - hind.
            | **D** | **Dsus4** | **Dm** **Dsus2** | **D5**   ‖
             Stay awake, look out.

38

Verse 3

    D   **Dsus⁴**
    If you're out on a moonlit night,

    Dm   **Dsus²**   **D⁵**
Be careful of them neighbourhood strays.

    D   **Dsus⁴**
    Of a lady with long black hair,

          Dm   **Dsus²**   **D⁵**
Trying to win you with her feminine ways.

    C   **Dm***
    Crystal ball on the table,

    C   **Dm*** **Dsus⁴***
    Showing the future, the past.

    C   **Dm*** **C**
    Same cat with them evil eyes,

         B♭   **A**
You'd better get out of there fast.

Outro

   D⁵
‖: She's just a devil woman,

With evil on her mind.

Beware the devil woman,

B♭   **C**
    She's gonna get you.

D⁵
    She's just a devil woman

With evil on her mind

Beware the devil woman

B♭   **C**
    She's gonna get you :‖ *Repeat to fade*

Don't Stop

Words & Music by Christine McVie

E   A/E   D   A   B   E9

Intro
‖: E   A/E | E   A/E | E   A/E | E   A/E :‖

Verse 1

E   D   A
If you wake up and don't want to smile,

E   D   A
If it takes just a little while,

E   D   A
Open your eyes, look at the day,

B
You'll see things in a different way.

Chorus 1

E   E9   A
Don't stop thinking about tomorrow,

E   E9   A
Don't stop, it'll soon be here.

E   E9 A
It'll be better than before,

B
Yesterday's gone, yesterday's gone.

Link 1
| E   D | A | E   D | A   ‖

Verse 2

E   D   A
Why not think about times to come,

E   D   A
And not about the things that you've done?

E   D   A
If your life was bad for you,

B
Just think what tomorrow will do.

Chorus 2   As Chorus 1

Link 2 +
Guitar solo

| B | B | ‖: E   D | A | :‖ *Play 3 times* |

| B | B | B | B | ‖ |

Verse 3

E   D   A
All I want is to see you smile,

E   D   A
If it takes just a little while.

E   D   A
I know you don't believe that it's true,

B
I never meant any harm to you.

Chorus 3

E   E9 A
Don't stop thinking about tomorrow,

E   E9   A   N.C.
Don't stop, it'll soon be here.

E   E9 A
It'll be better than before.

B
Yesterday's gone, yesterday's gone.

Chorus 4

E   E9 A
Don't stop thinking about tomorrow,

E   E9 A
Don't stop, it'll soon be here.

E   E9 A
It'll be better than before,

B
Yesterday's gone, yesterday's gone.

Coda

‖: E   E9 A   E   E9 A
  Ooh, _____ don't you look back. _____ :‖ *Repeat to fade*

Don't Give Up On Us

Words & Music by Tony Macaulay

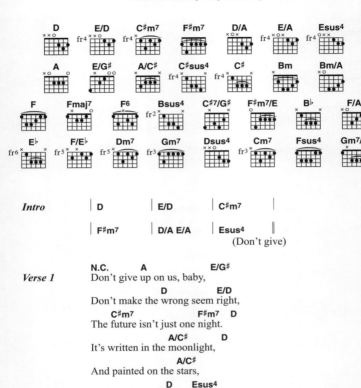

Intro | D | E/D | C#m7 |

| F#m7 | D/A E/A | Esus4   ‖
                        (Don't give)

Verse 1

    N.C.   A   E/G#
Don't give up on us, baby,

             D   E/D
Don't make the wrong seem right,

     C#m7   F#m7 D
The future isn't just one night.

             A/C#   D
It's written in the moonlight,

             A/C#
And painted on the stars,

           D   Esus4
We can't change ours.

Verse 2

N.C.   **A**   **E/G♯**
Don't give up on us, baby,

          D   **E/D**
We're still worth one more try.

  C♯m7   **F♯m7** **D**
I know we put a last one by,

         A/C♯   **D**
Just for a rainy evening,

            C♯sus4 **C♯**
When maybe stars are few.

       Bm   **Bm/A** **Esus4**
Don't give up on us, I know,

           A
We can still come through.

Bridge

   F   **Fmaj7** **F6**
I really lost my head last night,

     Bsus4   **A**
You've got a right to stop be - lieving.

       C♯7/G♯   **F♯m7**   **Esus4 F Esus4**
There's still a little love left, even so.

Verse 3

N.C.   **A**   **E/G♯**
Don't give up on us, baby,

           D   **E/D**
Lord knows we've come this far.

C♯m7   **F♯m7** **D**
Can't we stay the way we are?

         A/C♯
The angel and the dreamer,

     D   **C♯sus4** **C♯**
Who sometimes plays a fool.

       Bm   **Esus4**
Don't give up on us, I know,

         (A)
We can still come through.

Instr. | A | E/G♯ | F♯m7 | F♯m7/E |
(through._____)

| D | E/D | C♯m7 | F♯m7 ‖

Verse 4

D   A/C♯   D
  It's written in the moonlight,

            A/C♯
And painted on the stars,

         D/A
We can't change ours.

Verse 5

Esus4   B♭   F/A
Don't give up on us, baby,

         E♭   F/E♭
We're still worth one more try.

 Dm7   Gm7 E♭
I know we put a last one by,

      B♭/D   E♭
Just for a rainy evening,

        Dsus4 D
When maybe stars are few.

    Cm7   B♭   Fsus4
Don't give up on us, I know,

      B♭   F/A
We can still come through.

    Gm7   Gm7/F
Don't give up on us, baby.

   E♭   Fsus4 B♭
Don't give up on us, baby.

Down Down

Words & Music by Francis Rossi & Robert Young

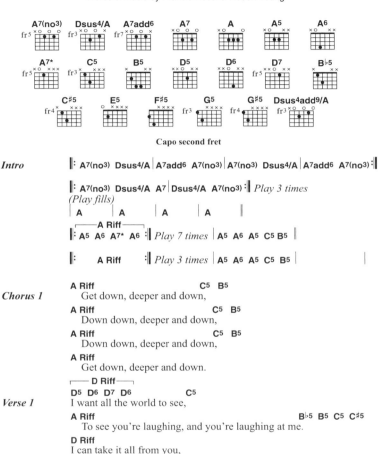

Capo second fret

Intro   ‖: A7(no3) Dsus4/A | A7add6 A7(no3) | A7(no3) Dsus4/A | A7add6 A7(no3) :‖

‖: A7(no3) Dsus4/A A7 | Dsus4/A A7(no3) :‖ *Play 3 times*
(Play fills)
| A | A | A | A   ‖

┌─── A Riff ───┐
‖: A5 A6 A7* A6 :‖ *Play 7 times* | A5 A6 A5 C5 B5 ‖

‖:   A Riff   :‖ *Play 3 times* | A5 A6 A5 C5 B5 |

Chorus 1
A Riff   C5   B5
    Get down, deeper and down,
A Riff   C5   B5
    Down down, deeper and down,
A Riff   C5   B5
    Down down, deeper and down,
A Riff
    Get down, deeper and down.

┌─── D Riff ───┐
D5 D6 D7 D6   C5
Verse 1   I want all the world to see,
A Riff   B♭5 B5 C5 C♯5
    To see you're laughing, and you're laughing at me.
D Riff
I can take it all from you,

cont.
E5
Again, again, again, again,
E5   F#5   G5   G#5   A5
Again, again, again, and deeper and down.

Chorus 2   As Chorus 1

Instrumental.   ‖: A7(no3) Dsus4/A | A7add6   A7(no3) | A7(no3) Dsus4/A | A7add6 A7(no3)

        D Riff   C5
Verse 2   I have all the ways you see,
        A Riff   Bb5 B5 C5 C#5
        To keep you guessing, stop your messing with me.
        D Riff
        You'll be back to find your way,
        E5
        Again, again, again, again,
        E5   F#5   G5   G#5   A5
        Again, again, again, and deeper and down.

        A Riff   C5 B5
Chorus 3   Down down, deeper and down,
        A Riff   C5 B5
        Down, down, deeper and down
        A Riff   C5 B5
        Down, down, deeper and down,
        7/4 A5   ‖
              Get down.

Link   6/4 | Dsus4add9/A 4/4 | A7 | A7 6/4 | Dsus4add9/A 4/4 | A7 | A͡7 |

        ‖:   A Riff   :‖ *Play 7 times* | A5 A6 (N.C.) C5 B5 ‖

Chorus 4   As Chorus 1

D Riff   **C5**
Verse 3   I have found you out you see,
               A Riff   **B♭5 B5 C5 C♯5**
                 I know what you're doing, what you're doing to me.
               D Riff
               I'll keep on and say to you,
               E5
               Again, again, again, again,
               E5   F♯5   G5   G♯5   A5
               Again, again, again, and deeper and down.

Chorus 5   As Chorus 3   **A7 Dsus4/A A7 A7 $\frac{6}{4}$ | Dadd9/A |**

Outro $\frac{6}{4}$| **Dsus4add9/A** $\frac{4}{4}$| **A** | **A**   :‖

               $\frac{4}{4}$| **A** | **A** | **A** | **A**   ‖

               ‖: **A Riff** | **D Riff** | **A Riff** | **A Riff** :‖ *Repeat to fade*

47

The Eton Rifles

Words & Music by Paul Weller

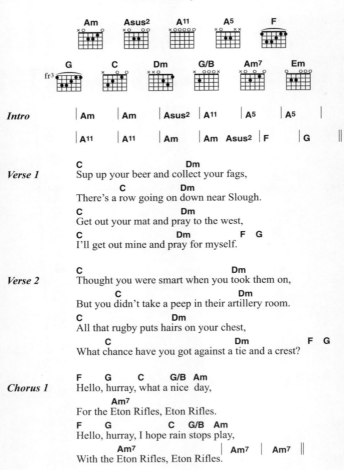

Intro
| Am | Am | Asus² | A¹¹ | A⁵ | A⁵ |

| A¹¹ | A¹¹ | Am | Am Asus² | F | G ‖

Verse 1

C   Dm
Sup up your beer and collect your fags,

        C   Dm
There's a row going on down near Slough.

C   Dm
Get out your mat and pray to the west,

C   Dm   F   G
I'll get out mine and pray for myself.

Verse 2

C   Dm
Thought you were smart when you took them on,

        C   Dm
But you didn't take a peep in their artillery room.

C   Dm
All that rugby puts hairs on your chest,

        C   Dm   F   G
What chance have you got against a tie and a crest?

Chorus 1

F   G   C   G/B Am
Hello, hurray, what a nice day,

        Am⁷
For the Eton Rifles, Eton Rifles.

F   G   C G/B Am
Hello, hurray, I hope rain stops play,

        Am⁷ | Am⁷ | Am⁷ ‖
With the Eton Rifles, Eton Rifles.

Verse 3

```
        C                                Dm
Thought you were clever when you lit the fuse,
          C                                      Dm
Tore down the House of Commons in your brand new shoes.
          C                  Dm
Compose a revolutionary symphony,
            C                Dm                F   G
Then went to bed with a charming young thing.
```

Chorus 2

```
F   G   C    G/B Am
Hello, hurray, cheers then mate,
           Am7
For the Eton Rifles, Eton Rifles.
F   G        C   G/B Am
Hello, hurray, an extremist scrape,
           Am7              |  Am7   |  Am7   ||
With the Eton Rifles, Eton Rifles.
```

Bridge 1

```
Em                   F
  What a catalyst you turned out to be,
Em                        F                    G
  Loaded the guns then you ran off home for your tea,

Left me standing like a guilty schoolboy.
```

Guitar solo

‖: C | Dm | C | Dm :‖

| Am | Am | Am7 | Am7 ‖

Bridge 2

As Bridge 1

Verse 4

```
  C                Dm
  We came out of it naturally the worst,
C                      Dm
Beaten and bloody and I was sick down my shirt.
C                      Dm
We were no match for their un - tamed wit,
          C                          Dm          F   G
Though some of the lads said they'd be back next week.
```

49

Chorus 3

     F   **G**   **C**   **G/B** **Am**
Hello, hurray, there's a price to   pay,

       Am7
To the Eton Rifles, Eton Rifles.

     F   **G**   **C** **G/B** **Am**
Hello, hurray, I'd prefer the   plague,

       Am7
To the Eton Rifles, Eton Rifles.

Chorus 4

     F   **G**   **C**   **G/B** **Am**
Hello, hurray, there's a price to   pay,

       Am7
To the Eton rifles, Eton Rifles.

     F   **G**   **C** **G/B** **Am**
Hello, hurray, I'd prefer the   plague,

       Am7
To the Eton rifles, Eton Rifles.

Eton rifles, Eton Rifles.

Outro

| **A5** | **A5** | **Asus2** | **Asus2** | |

| **Am** | **Am** | **Asus2** | **Asus2** | |

| **A5** | **Asus2** | **Asus2** | **Asus2** | **Am7** | **Am7** | |

Am7   **Am**
Eton Rifles, Eton Rifles.

Ever Fallen In Love
(With Someone You Shouldn't've)

Words & Music by Pete Shelley

C#m   B   E   D   A   G

Intro

| C#m | C#m B | C#m | C#m B |

| E | E | E | E ||

Verse 1

    C#m   B
You spurn my natural emotions,

    C#m   B E | E | E | E |
You make me feel like I'm dirt and I'm hurt.

    C#m   B
And if I start a commotion,

    C#m   B E | E | E | E |
I run the risk of losing you and that's worse.

Chorus 1

    C#m   B
Ever fallen in love with someone,

            C#m   B
Ever fallen in love, in love with someone,

            D   A
Ever fallen in love, in love with someone,

                     B E   B | B E B ||
You shouldn't've fallen in love with?

Verse 2

   C#m   B
I can't see much of a future,

   C#m
Unless we find out what's to blame.

B   E | E | E |
What a shame!

     C#m   B
And we won't be together much longer,

   C#m   B   E | E | E |
Unless we realise that we are the same.

Chorus 2   As Chorus 1

Verse 3

     C#m   B
You spurn my natural emotions,

     C#m   B E | E | E | E
You make me feel like I'm dirt and I'm hurt.

     C#m   B
And if I start a commotion,

     C#m   B   E | E | E | E |
I'll only end up losing you, and that's worse.

Chorus 3

       C#m   B
‖: Ever fallen in love with someone,

         C#m   B
Ever fallen in love, in love with someone,

         D   A
Ever fallen in love, in love with someone,

            B   E   B
You shouldn't've fallen in love with?

 | B   E B :‖

Link ‖: E | E | E | E   :‖   *Play 3 times*

Chorus 4

     C♯m   B
Ever fallen in love with someone,

      C♯m   B
Ever fallen in love, in love with someone,

     D   A
Ever fallen in love, in love with someone,

        B E B
You shouldn't've fallen in love with?

Coda

B E B A D
  A-fallen in love with,

A D A G   B
    Ever fallen in love with someone,

        E
You shouldn't've fallen in love with?

Gaye

Words & Music by Clifford T. Ward

G   Gmaj7/D   Cadd9   C6   C6/B

Am7   C   D   C/D   G/B

Capo fifth fret

Intro　　　‖: G　│ Gmaj7/D │ Cadd9 │ Gmaj7/D :‖

Verse 1

G　　　Gmaj7/D
Gaye,

Cadd9　　Gmaj7/D　G　Gmaj7/D
　Won't you let me have a say,

Cadd9　Gmaj7/D G　Gmaj7/D
　In the way you behave,

Cadd9　　Gmaj7/D　G
　I won't last another day,

　Gmaj7/D　Cadd9 Gmaj7/D G
If you　　decide　　to go away.

│ Gmaj7/D │ Cadd9 │ Gmaj7/D ‖

Chorus 1

C6　　　　C6/B　Am7　G
　You're the tray of nice things,

　C　 D　G　Gmaj7/D
I upset yesterday,

C6　　　C6/B　Am7　G
　The display of bright rings,

　C　 D　　G
I let it slip away.

│ Gmaj7/D │ Cadd9 │ G　C │ D　　　│ C/D ‖

54

Verse 2

     G   **Gmaj7/D**
Oh Gaye,

Cadd9   **Gmaj7/D**   **G**   **Gmaj7/D**
  You allay my every fear,

Cadd9   **Gmaj7/D**   **G**   **Gmaj7/D**
  In a most extraordinary way,

Cadd9 **Gmaj7/D**   **G**   **Gmaj7/D Cadd9**
  If I thought that I could find my way without you,

  Gmaj7/D   **G**
I would not ask you to stay.

| **Gmaj7/D** | **Cadd9** | **Gmaj7/D** ‖

Instrumental ‖: **G** | **Gmaj7/D** | **Cadd9** | **G/B** **Am7** :‖

Chorus 2

C6   **C6/B** **Am7 G**
  You're the tray of nice things,

  C **D**   **G**   **Gmaj7/D**
I upset yesterday,

C6   **C6/B** **Am7 G**
  The mainstay of my dreams,

    C   **D**   **G**
That I ___ let slip away.

|**Gmaj7/D**| **Cadd9** | **G/B Am7** | **D** | **D** | **C/D** | **C/D** ‖

Verse 3

     G   **Gmaj7/D**
Gaye,

Cadd9   **Gmaj7/D**   **G**   **Gmaj7/D**
  Won't you let me have a say,

Cadd9   **Gmaj7/D G**   **Gmaj7/D**
  In the way you behave,

Cadd9   **Gmaj7/D**   **G**
  I won't last another day,

  Gmaj7/D Cadd9 Gmaj7/D G |**Gmaj7/D**| **Cadd9** |
If you   decide   to go away.

Gmaj7/D   **G** |**Gmaj7/D**| **Cadd9** |
  Don't go away,

Gmaj7/D G |**Gmaj7/D**| **Cadd9** |
  Oh, please stay,

Gmaj7/D   **G** |**Gmaj7/D**| **Cadd9** |
  Don't go away,

Gmaj7/D G
   Please stay.

Heart Of Glass

Words & Music by Deborah Harry & Chris Stein

Intro | E | E | E | E ||

Verse 1
E   C#
Once had love and it was a gas,
C#m   E
Soon turned out, had a heart of glass.
                                  C#
Seemed like the real thing oh at the time.
C#m
Mucho mistrust love's gone be - (hind.)

Link 1 | E | E | E | E ||
-hind.

Verse 2
E   C#
Once had love and it was divine,
C#m   E
Soon found out I was losing my mind.
                                      C#
Seemed like the real thing but I was so blind.
C#m   E
Mucho mistrust love's gone behind.

Bridge 1
A
In between, when I find it pleasing,
         E
And I'm feeling fine,
                                    A
Love is so confusing, there's no peace of mind.
                      F#
If I fear I'm losing you it's just no good,
         B
You tease me like you do.

| *Link 2* | | E | | E | | E | | E | | ‖ |

Verse 3

E   **C♯**
Once had love and it was a gas,
C♯m   **E**
Soon turned out, had a heart of glass.
                        C♯
Seemed like the real thing, only to find,
C♯m   **E**
Mucho mistrust love's gone behind.

Bridge 2

A
Lost inside, adorable illusion,
      E
And I cannot hide,

I'm the one you're using,
          A
Please don't   push me aside,
                     E
We could have made it cruising, yeah.

Instrumental ‖: A | A | E | E | A | A | E | E :‖

      | A | A | E | E | A | A |

A   **F♯**   **B**
     Yeah, riding high on love's true blueish light.
(E)
     Ooh-ooh, oh-oh, ooh-ooh, oh-oh,
E
     Ooh-ooh, oh-oh, ooh-ooh, oh-oh.

Verse 4   As Verse 1

Bridge 3   As Bridge 1

Coda   ‖: A | A | E | E | A | A | F♯ | B :‖
                                             Repeat to fade

Hold The Line

Words & Music by David Paich

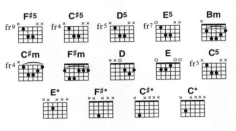

Intro

| 4   ‖: F#5 C#5 D5 E5 :‖ E* C#* C5*

(Keyboards)

Verse 1

Bm   C#m   F#m   F#* C#* C5*
It's not in the way that you hold me,

Bm   C#m   F#m   F#* C#* C5*
It's not in the way you say you care,

Bm   C#m   D   E   C#* C5*
It's not in the way you've been treating my friends,

Bm   C#m   D   E   C* C5*
It's not in the way that you stayed till the end,

Bm   C#m   D   E
It's not in the way you look or the things that you say that you'll do

Chorus 1

          F#5 C#5 D5 E5   F#5 C#5 D5 E5
Hold the line,   love isn't always on time,   oh oh oh,

          F#5 C#5 D5 E5   F#5 C#5 D5 E5
Hold the line,   love isn't always on time,   oh oh oh.

(E5* C#5* C5*)

Verse 2

Bm   C#m   F#m   F#* C#* C*
It's not in the words that you told me (girl),

Bm   C#m   F#m   F#* C#* C*
It's not in the way you say you're mine.

Bm   C#m   D   E   C#* C*
It's not in the way that you came back to me,

Bm   C#m   D   E   C#* C*
It's not in the way that your love set me free,

Bm   C#m   D   E
It's not in the way you look or the things that you say that you'll do

Chorus 2

        F#5 C#5 D5 E5   **F#5 C#5 D5 E5**
Hold the line,   love isn't always on time,   oh oh oh,

        F#5 C#5 D5 E5   **F#5 C#5 D5 E5**
Hold the line,   love isn't always on time,   oh oh oh.

Guitar solo   ‖: **F#5 C#5 D5** | **E5** :‖ *Play 8 times* **E* C#* C5***

Verse 3

Bm   **C#m**   **F#m**   **F#* C#* C5***
It's not in the words that you told me,

Bm   **C#m**   **F#m**   **F#* C#* C5***
It's not in the way you say you're mine (ohh),

Bm   **C#m**   **D**   **E** **C#* C5***
It's not in the way that you came back to me,

Bm   **C#m**   **D**   **E** **C#* C5***
It's not in the way that your love set me free,

Bm   **C#m**   **D**   **E**
It's not in the way you look or the things that you say that you'll do.

Chorus 3

        F#5 C#5 D5 E5   **F#5 C#5 D5 E5**
Hold the line,   love isn't always on time,   oh oh oh,

        F#5 C#5 D5 E5   **F#5**
Hold the line,   love isn't always on time,

          C#5 D5 E5
(love isn't always on time).

Chorus 4

        F#5 C#5 D5 E5   **F#5**
Hold the line,   love isn't always on time,

          C#5 D5 E5
(love isn't always on time)

        F#5 C#5 D5 E5   **F#5**
Hold the line,   love isn't always on time,

          C#5 D5 E5
(love isn't always on time)

Outro

                  F#5 C#5 D5 E5
Love isn't always on time,

                  F#5 C#5 D5 E5
Love isn't always on time,

                F#5 C#5 D5 E5
Love isn't always on time,   oh oh oh.

Hong Kong Garden

Words & Music by Siouxsie Sioux, Steve Severin, John McKay & Kenneth Morris

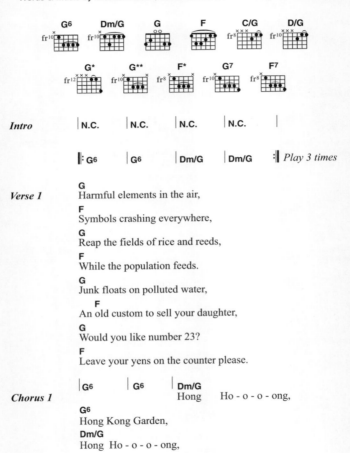

Intro | N.C. | N.C. | N.C. | N.C. | |

 ‖: G6 | G6 | Dm/G | Dm/G :‖ *Play 3 times*

Verse 1

G
Harmful elements in the air,

F
Symbols crashing everywhere,

G
Reap the fields of rice and reeds,

F
While the population feeds.

G
Junk floats on polluted water,

F
An old custom to sell your daughter,

G
Would you like number 23?

F
Leave your yens on the counter please.

Chorus 1

 | G6 | G6 | Dm/G
Hong   Ho - o - o - ong,

G6
Hong Kong Garden,

Dm/G
Hong Ho - o - o - ong,

cont.
G6
Hong Kong Garden,
Dm/G
   Oh-o-oh.

Instrumental | **C/G**   **D/G** | **G6**   ‖: **C/G**   **D/G** | **G6**   **G*** :‖

            | **Dm/G** | **Dm/G** |

Verse 2
G
Tourists swarm to see your face,
  F
Confucius has a puzzling grace,
  G
Disorientated you enter in,
  F
Unleashing scent of wild jasmine.
G
Slanted eyes meet a new sunrise,
  F
A race of bodies small in size,
G
Chicken Chow Mein and Chop Suey,
F
Hong Kong Garden takeaway.

Chorus 2
G6
La la la la la lo lo lo,
Dm/G
Ho - oh - o - o,
G6
Hong Kong Garden,
Dm/G
Ho - oh - o - o.

Outro   ‖: **G**** | **G**** | **F*** | **F***   :‖ *Play 3 times*

      ‖: **G**** | **G7 G** G7 G**** | **F*** | **F7 F* F7 F*** :‖

      | **G7 G** G7 G**** | **G7 G** G7 G**** | **F7** **F* F7** **F*** | **F7 F* F7 F*** |

      | **G7 G** G7 G**** | **G7 G** G7 G**** | **F***   ‖

I Can't Stand The Rain

Words & Music by Ann Peebles, Bernard Miller & Don Bryant

A♭7 D♭7 G♭7 B7 B♭m7 E♭7

Intro | N.C.(A♭7) | (A♭7)

Chorus 1
(A♭7)
I can't stand the rain against my window,
(D♭7)   (A♭7)
  Bringing back sweet memories,
            A♭7
Hey window pain do you remember,
D♭7   A♭7
  How sweet it used to be.

Verse 1
G♭7
  When we were together,
A♭7
  Everything was so grand,
B7
  Now that we've parted,
       B♭m7   E♭7
There's just one sound that I just can't stand.

Chorus 2
                    A♭7
I can't stand the rain against my window,
D♭7   A♭7
  Bringing back sweet memories,
            A♭7
I can't stand the rain against my window,
D♭7   A♭7
  'Cause he's not a-here with me.

Verse 2

G♭7
    Alone with the pillow,

A♭7
    Where his head used to lay,

B7
    I know you've got some sweet memories,

        B♭m7   E♭7   A♭7
But like a window you ain't got nothing to say, hey, hey.

Link
| (A♭7) | G♭7 | A♭7 | B7

Chorus 3

            A♭7
‖: I can't stand the rain against my window,

D♭7   A♭7
    Bringing back sweet memories,

          A♭7
I can't stand the rain against my window,

D♭7   A♭7
    Just keeps on haunting me,

        A♭7
Hey, rain get off my window,

D♭7   A♭7
    'Cause he's not here with me. :‖ *Repeat to fade*

I Love The Sound Of Breaking Glass

Words & Music by Nick Lowe, Andrew Bodnar & Stephen Goulding

fr3 **G**   fr8 **C**   **Am**

Verse 1

   G
I love the sound of breaking glass,

               C
Es - pecially when I'm lone - ly,

   G
I need the noises of destruction,

              C
When there's nothing new.

Chorus 1

   Am   **G**
Oh nothing new, sound of breaking glass,

  G
I love the sound of breaking glass.

Verse 1

              C
Deep into the night.____

  G
I love the sound of its condition,

         C
Flying all around.____

Chorus 2

  Am   **G**
Oh all around, sound of breaking glass,

Am   **G**   **N.C.**
Nothing new, sound of breaking glass

Piano solo

| G | G | G | G | C | |

| C | G | G | G | C | C |

Chorus 3

    Am   **G**
Oh all around, sound of breaking glass,

Am   **G**
Nothing new, sound of breaking glass,

Am   **G**   **N.C.**
Safe at last sound of breaking glass.

Verse 3,

    G
I love the sound of breaking glass,

         C
Deep into the night.____

  G
I love the work on it can do,

        C
Oh a change of mind.

Chorus 4

   Am
Oh change of mind,

     G
Sound of breaking glass,

Am   **G**
All around, sound of breaking glass,

Am   **G**
Nothing new, sound of breaklng glass,

Am   **G**
Breaking glass, sound of breaking glass,

Outro   ‖: **Am**   **G**
            Sound of breaking glass, :‖ *Repeat to fade*

I Saw The Light

Words & Music by Todd Rundgren

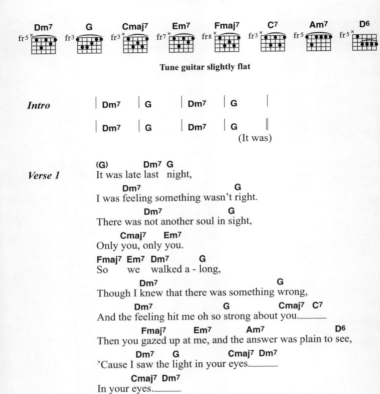

Tune guitar slightly flat

Intro | Dm⁷ | G | Dm⁷ | G |

| Dm⁷ | G | Dm⁷ | G   ‖

(It was)

Verse 1

(G)   **Dm⁷ G**
It was late last   night,

　　　Dm⁷　　　　　　　　**G**
I was feeling something wasn't right.

　　　Dm⁷　　　　　　　**G**
There was not another soul in sight,

　　　　Cmaj⁷ Em⁷
Only you, only you.

Fmaj⁷ Em⁷ Dm⁷　　　**G**
So   we   walked a - long,

　　　　Dm⁷　　　　　　　　　　**G**
Though I knew that there was something wrong,

　　　　Dm⁷　　　　　**G**　　　**Cmaj⁷ C⁷**
And the feeling hit me oh so strong about you.＿＿＿

　　　　Fmaj⁷　　　**Em⁷**　　　**Am⁷**　　　　　　**D⁶**
Then you gazed up at me, and the answer was plain to see,

　　　　Dm⁷ G　　　**Cmaj⁷ Dm⁷**
'Cause I saw the light in your eyes.＿＿＿

　　　　Cmaj⁷ Dm⁷
In your eyes.＿＿＿

Verse 2

(Dm7)   **G**
Though we had our fling,

    Dm7   **G**
I just never would suspect a thing,

      Dm7   **G**   **Cmaj7**   **Em7**
Till that little bell began to ring in my head, in my head.

Fmaj7 Em7 Dm7   **G**
But   I   tried to run,

       Dm7   **G**
Though I knew it wouldn't help me none,

      Dm7   **G**   **Cmaj7** **C7**
'Cause I couldn't ever love no one, or so I said._____

     Fmaj7   **Em7**   **Am7**   **D6**
But my feelings for you were just something I never knew,

     Dm7 **G**   **Cmaj7 Dm7**
Till I saw the light in your eyes._____

      Cmaj7 Dm7 G
In your eyes._____

Solo

| **Dm7** | **G** | **Dm7** | **G** | |

| **Dm7** | **G** | **Cmaj7** | **Emaj7** **Fmaj7 Em7** ‖
                           (But   I)

Verse 3

Fmaj7 Em7 Dm7   **G**
But   I   love you best,

      Dm7   **G**
It's not something that I say in jest,

        Dm7   **G**
'Cause you're different, girl, from all the rest,

      Cmaj7 **C7**
In my eyes.

      Fmaj7   **Em7**   **Am7**   **D6**
And I ran out be - fore but I won't do it any - more,

       Dm7 **G**   **Cmaj7 Dm7**
Can't you see the light in my eyes._____

      Cmaj7 Dm7
In my eyes._____

Outro

      Cmaj7 Dm7
In my eyes.

      Cmaj7 Dm7
In my eyes.   *To fade*

In The Summertime

Words & Music by Ray Dorset

E   A6   B6   A   B

Intro | E | E | E | E | A6 | A6 |

| E | E | B6 | A6 | E | E ||

Verse 1

    E
In the summertime when the weather is high,

You can stretch right up and touch the sky,

    A
When the weather's fine you got women,

    E
You got women on your mind.

  B   A   E
Have a drink, have a drive, go out and see what you can find.

Verse 2

    E
If her Daddy's rich take her out for a meal,

If her Daddy's poor just do what you feel,

    A   E
Scoot along the lane, do a ton or a ton and twenty-five.

  B   A   E
When the sun goes down you can make it make it good in a lay-by.

Verse 3

    E
We're no threat, people, we're not dirty, we're not mean,

We love everybody but we do as we please.

    A   E
When the weather's fine we go fishing or go swimming in the sea.

  B   A   E
We're always happy, life's for living, yeah, that's our philosophy.

Verse 4

       E
Sing along with us, di-di-di-di-di,

Da-da-da-da-da, yeah we're hap-happy,
A   E
Da-da-da, dee-da-da, dee-da-da, da-da-da.
B   A   E
Da-da-da-da-da, alright alright, da-da-da-da-da-da.

Alright!

Instrumental

| E | | E | | E | | E | | A6 | | A6 | |
| E | | E | | B6 | | A6 | | E | | E | ‖ |

Verse 5

       E
When the winter's here, yeah it's party time,

Bring a bottle, wear your wrap, 'cause it'll soon be summer time.
A   E
And we'll sing again, we'll go driving or maybe we'll settle down.
B
If she's rich, if she's nice,
       A   E
Bring your friends and we'll all go into town.

Instrumental

| E | | E | | E | | E | | A6 | | A6 | |
| E | | E | | B6 | | A6 | | E | | E | ‖ |

Verse 6   As Verse 1

Verse 7   As Verse 2

Verse 8   As Verse 3

Coda

       E
Sing along with us, di-di-di-di-di,

Da-da-da-da-da, yeah we're hap-happy.
A   E
Da-da-da, dee-da-da, dee-da-da, da da da.   *To fade*

Fernando

Words & Music by Benny Andersson, Björn Ulvaeus & Stig Anderson

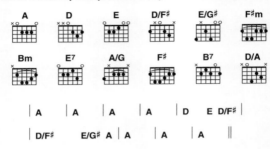

Intro
| A | A | A | A | D | E D/F♯ |
| D/F♯ | E/G♯ A | A | A | A |

Verse 1

A
Can you hear the drums Fernando?

F♯m
I remember long ago another starry night like this.

Bm
In the firelight Fernando,

E
You were humming to yourself and softly strumming your guitar.

I could hear the distant drums,

A
And sounds of bugle calls were coming from afar.

Verse 2

A
They were closer now Fernando.

F♯m
Ev'ry hour, ev'ry minute seemed to last eternally.

Bm
I was so afraid Fernando,

E
We were young and full of life and none of us prepared to die.

And I'm not ashamed to say,

A
The roar of guns and cannons almost made me cry.

Chorus 1

    A   **E⁷**
There was something in the air that night,

                     A
The stars were bright, Fernando.

                     E⁷
They were shining there for you and me,

          A
For liberty, Fernando.

        A/G   **F♯**
Though we never thought that we could lose,

        B⁷
There's no regret.

            E⁷
If I had to do the same again,

                A
I would my friend, Fernando.

           E⁷
If I had to do the same again,

                        D   **E** **D/F♯** | **D/F♯**   **E/G♯** **A** |
I would my friend, Fernando.

| **A** | **A D/A A** | **E** | **E** | **A** ||

Verse 3

    A
    Now we're old and grey Fernando,

                                          F♯m
And since many years I haven't seen a rifle in your hand.

                      Bm
Can you hear the drums Fernando?

                                              E
Do you still recall the fateful night we crossed the Rio Grande?

I can see it in your eyes,

                                        A
How proud you were to fight for freedom in this land.

Chorus 2

    A   **E⁷**
There was something in the air that night,

                     A
The stars were bright, Fernando.

                     E⁷
They were shining there for you and me,

          A
For liberty, Fernando.

        A/G   **F#**
Though we never thought that we could lose,

      B7
There's no regret.

             E7
If I had to do the same again,

                A
I would my friend, Fernando.

Chorus 3

     A   **E7**
There was something in the air that night,

               A
The stars were bright, Fernando.

                       E7
They were shining there for you and me,

          A
For liberty, Fernando.

        A/G   **F#**
Though we never thought that we could lose,

      B7
There's no regret.

             E7
If I had to do the same again,

                A
I would my friend, Fernando.

             E7
‖: If I had to do the same again,

                A
I would my friend, Fernando. :‖   *Repeat to fade*

Is She Really Going Out With Him?

Words & Music by Joe Jackson

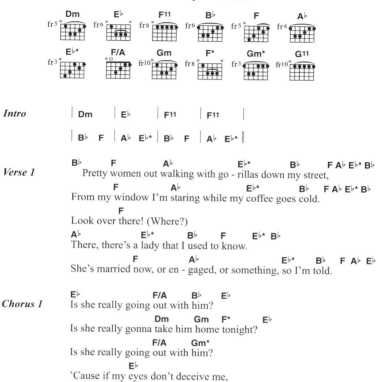

Intro

| Dm | E♭ | F11 | F11 |

| B♭ F | A♭ E♭* | B♭ F | A♭ E♭* ‖

Verse 1

    B♭   F   A♭   E♭*   B♭   F A♭ E♭* B♭
Pretty women out walking with go - rillas down my street,

        F   A♭   E♭*   B♭   F A♭ E♭* B♭
From my window I'm staring while my coffee goes cold.

        F
Look over there! (Where?)

A♭   E♭*   B♭   F   E♭* B♭
There, there's a lady that I used to know.

          F   A♭   E♭*   B♭ F A♭ E♭
She's married now, or en - gaged, or something, so I'm told.

Chorus 1

E♭   F/A   B♭   E♭
Is she really going out with him?

             Dm   Gm   F*   E♭
Is she really gonna take him home tonight?

             F/A   Gm*
Is she really going out with him?

        E♭
'Cause if my eyes don't deceive me,

       F*   B♭   F A♭ E♭*
There's something going wrong around here.

Link 1 | B♭ F | A♭ E♭* ‖

          B♭   F   A♭   E♭*   B♭   F A♭ E♭* B♭

Verse 2   Tonight's the night when I go to all the parties down my street,

                F   A♭   E♭*   B♭   F A♭ E♭* B♭

I wash my hair and I kid myself I look real smooth.

              F   A♭

Look over there! (Where?) There,

                E♭*   B♭   F   E♭* B♭

Here comes Jeanie with her new boy - friend.

               F   A♭

They say that looks don't count for much,

               E♭*   B♭   F A♭ E♭

If so, there goes your proof.

          E♭   F/A   B♭   E♭

Chorus 2 Is she really going out with him?

                         Dm   Gm* F*   E♭

Is she really gonna take him home tonight?

                     F/A   Gm*

Is she really going out with him?

                  E♭   B♭   F A♭ E♭*

'Cause if my eyes don't deceive me,

              F*   B♭   F A♭

There's something going wrong around here.

          E♭*   B♭   F A♭ E♭

A - round here.

          Dm   E♭

Bridge   But if looks could kill,

             F11   G11   Dm

There's a man there who's marked down as dead.

                 E♭

'Cause I've had my fill,

           F11   G11   Dm

Listen you, take your hands from her hand.

          E♭   F11

I get so mean around this scene.

          F11   G11 F11

Hey, hey, hey.

Link 2 | B♭ F | A♭ E♭* | B♭ F | A♭ E♭* ‖

Chorus 3

E♭   F/A   B♭   E♭
Is she really going out with him?

              Dm   Gm* F*   E♭
Is she really gonna take him home tonight?

              F/A   Gm*
Is she really going out with him?

         E♭   B♭   F A♭ E♭*
'Cause if my eyes don't deceive me,

        F*   F A♭ E♭*
There's something going wrong around here.

Outro

        B♭   F
'Round here,

A♭   E♭*   B♭   F
Something going wrong around here,

A♭   E♭*   B♭   F
Something going wrong around here,

A♭   E♭*   B♭   F
Something going wrong around here,

A♭   E♭*   N.C.
Something going wrong around.

Jamming

Words & Music by Bob Marley

Bm⁷   E   G   F♯m   Em

Intro ‖: Bm⁷ | E | G | F♯m :‖

Chorus 1

       Bm⁷   E
We're jamming,
G   F♯m
   I wanna jam it with you,
     Bm⁷   E
We're jamming, jamming,
      G   F♯m
And I hope you like jamming too.

Verse 1

       Bm⁷   E
Ain't no rules, ain't no vow,
      Bm⁷   E
We can do it anyhow,
G   F♯m
I-and-I will see you through,
        Bm⁷   E
'Cause every day we pay the price,
      Bm⁷   E
With a little sacrifice,
G   F♯m
Jamming till the jam is through.

Chorus 2

       Bm⁷   E
We're jamming,
         G   F♯m
To think that jamming was a thing of the past,
       Bm⁷   E
We're jamming,
     G   F♯m
And I hope this jam is gonna last.

Verse 2

    Bm7   **E**
No bullet can stop us now,

        Bm7   **E**
We neither beg nor we won't bow,

G   **F♯m**
Neither can be bought nor sold.

    Bm7   **E**
We all defend the right,

      Bm7   **E**
Jah Jah children must unite,

    G   **F♯m**
Your life is worth much more than gold.

Chorus 3

    Bm7
We're jamming,

       E
(Jamming, jamming, jamming,)

      G   **F♯m**
And we're jamming in the name of the Lord,

    Bm7
We're jamming,

       E
(Jamming, jamming, jamming,)

    G   **F♯m**
We're jamming right straight from Yah.

Bridge

Bm7   **Em**
     Holy Mount Zion,

Bm7   **Em**
     Holy Mount Zion.

Bm7 **N.C.**
     Jah sitteth in Mount Zion

Bm7 **N.C.**
     And rules all Creation.

Chorus 4

      Bm7
Yeah, we're jamming,

E   **Bm7**
(Pop-choo), pop-choo-wa-wa,

Bm7
   We're jamming (pop-choo-wa), see?

G   **F♯m**
   I wanna jam it with you.

cont.

       Bm⁷

We're jamming,

          E

(Jamming, jamming, jamming,)

   G   F♯m

I'm jammed, I hope you're jamming too.

Verse 3

Bm⁷   E   Bm⁷   E

Jam's about my pride and truth I cannot hide,

G   F♯m

  To keep you satisfied.

    Bm⁷   E   Bm⁷   E

True love that now exist is the love I can't resist,

    G   F♯m

So jam by my side.

Chorus 5

          Bm⁷

‖: Yeah, we're jamming,

        E

(Jamming, jamming, jamming)

G   F♯m

  I wanna jam it with you.

      Bm⁷

We're jamming, we're jamming,

We're jamming, we're jamming,

     E

We're jamming, we're jamming,

We're jamming, we're jamming,

G   F♯m

  Hope you like jamming too. :‖ *Repeat to end with ad lib. vocal*

Jet

Words & Music by Paul McCartney & Linda McCartney

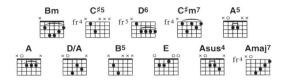

Intro ‖: Bm C♯5 D6 │ D6 │ Bm C♯5 D6 │ D6 │ C♯m7 │ C♯m7 :‖

│ Bm C♯5 D6 │ D6 │ A5 │ A5 │ A5 │ A5 │ ‖

Jet!   Jet!

Verse 1
    A   D/A   A
Jet! I can almost remember their funny fa - ces,

That time you told them that,

                                   D/A
You were going to be marrying soon.

   C♯m7   Bm
And Jet, I thought the only,

     C♯5 D6   A5
Lone - ly   place was on the moon,

Jet! Ooh,____

Jet! Ooh.____

Verse 2
A   **D/A**   **A**
Jet! Was your father as bold as a sergeant ma - jor?

Well, how come he told you that,

                D/A
You were hardly old enough yet?

    C#m7   **Bm**
And Jet, I thought the major,

    C#5 D6   **A**
Was a   lady suffra - gette.

Jet! Ooh,_____

Jet! Ooh._____

Bridge 1
B5   **E**
Ah, mater, want Jet to always love me?
B5   **E**
Ah, mater, want Jet to always love me?
B5   **A**   **Asus4 A**
Ah, mater, much la - ter.

Link 1 | **A5** | **A5** | **A5** | **A5**   ‖

Instrumental | **A5** | **A5** | **D/A A** | **A**   ‖

               | **A5** | **A5** | **D/A** | **D/A**   ‖

Verse 3
    C#m7   **Bm**
And Jet, I thought the major,

    C#5 D6   **A**
Was a   lady suffre - gette.

Jet! Ooh,_____

Jet! Ooh._____

Bridge 2   As Bridge 1

Link 2   As Link 1

          A   **D/A**   **A**

Verse 4   Jet! With the wind in your hair of a thousand la - ces,

Climb on the back and we'll,

                D/A

Go for a ride in the sky.

     C♯m7   **Bm**

And Jet, I thought the major,

     C♯5 D6   **A**

Was a   lady suffra - gette.

Jet! Ooh,＿＿

Jet! Ooh.＿＿

     C♯m7   **Bm**

And Jet, did you know I thought you,

     C♯5 D6   **A**

Was a   lady suffra - gette.

Jet! Ooh.

     | **Bm** **C♯5 D6** | **D6** | **Bm** **C♯5 D6**

Outro   A little lady,

     | **D6** | **C♯m7** | **C♯m7** |

      my little lady   yeah!

     | **Bm** | **Bm** | **C♯m7** | **Amaj7** ‖

Jive Talkin'

Words & Music by Barry Gibb, Maurice Gibb & Robin Gibb

| C | F/C | B♭ | G | F | E | Am |

Intro | N.C. | N.C. | (C) | (C) |

| (C) | (C) | (C) | C | C | C ‖

Chorus 1
               C
It's just your jive talkin', you're telling me lies, yeah.
                F/C   **C**
Jive talkin', you wear a disguise.

Jive talkin', so misunderstood, yeah.
                B♭   **C**
Jive talkin', you're really no good.

Verse 1
G   **F**
Oh, my child,

You'll never know,
E   **Am**
  Just what you mean to me.
G   **F**
Oh, my child,

You got so much,
C   **B♭**   **F**   **G**
  You're gonna take away my energy,

Chorus 2
                   C
With all your your jive talkin', you're telling me lies, yeah.
        F/C   **C**
Good loving still gets in my eyes.

Nobody believes what you say,
                B♭   **C**
It's just your jive talkin' that gets in the way.

Verse 2
      G   F
Oh, my love,

You're so good,
   E   Am
   Treating me so cruel.
  G   F
There you go,

With your fancy lies,
    C   B♭   F   G
Leaving me looking like a dumbstruck fool,

Chorus 3
              (C)
With all your jive talkin', you're telling me lies, yeah.
         (F)   (C)
Jive talkin', you wear a disguise.

Jive talkin', so misunderstood, yeah.
         (B♭)   (C)
Jive talkin', you just ain't no good.

Chorus 4
  C
Love talking is all very fine, yeah.
           F/C   C
Jive talkin' just isn't a crime.

And if there's somebody you'll love till you die,
                    B♭   C
Then all that jive talkin' just gets in your eye.

Instrumental | C   B♭ | B♭ | C   B♭ | B♭ | C   B♭ | B♭ |

             | C   B♭ | B♭ | C | C   ‖

Chorus 5

    C
Jive talkin',

You're telling me lies, yeah.
          (F)   **C**
Good loving still gets in my eyes.

Nobody believes what you say,

It's just your jive talkin',
    (B♭)   **C**
That gets in the way.

Love talking is all very fine, yeah.
          (F)   **C**
Jive talkin', just isn't a crime.

And if there's somebody,

You'll love till you die,

Then all that jive talkin',
     (B♭)   **C**
Just gets in your eye.

   C
‖: Jive talkin', :‖   *To fade*

Layla

Words & Music by Eric Clapton & Jim Gordon

Dm　　B♭　　C　　C♯m7　　G♯m7　　D

E　　E7　　F♯m　　B　　A　　C/E

F　　B♭9　　Em/B　　Am7　　Dm7　　G

Tune guitar slightly sharp

Intro　　| N.C. | N.C. | N.C. | N.C. |
Guitar riff
| Dm　B♭ | C　Dm | Dm　B♭ | C　Dm |

| Dm　B♭ | C　Dm | Dm　B♭ | C ‖

Verse 1

C♯m7　　　　　　　　　　　G♯m7
What'll you do when you get lonely,

C♯m7　　　　C　　　　D　　　　E　　E7
And nobody's waiting by your side?

F♯m　　　B　　　　E　　　　　　　　A
You been runnin' and hidin' much too long,

F♯m　　　B　　　　　　　　　E
You know it's just your foolish pride.

Chorus 1

A　Dm　B♭
Layla, ＿

C　　　　　　　Dm
Got me on my knees,

　　　　　　B♭
Layla,

　　C　　　　　　Dm
I'm beggin' darlin' please,

　　　　　B♭
Layla,

C　　　　　　　Dm　　　　　　　B♭　C
Darlin', won't you ease my worried mind?

Verse 2

C#m7   G#m7
Tried to give you consolation,

C#m7   C   D   E   E7
When your old man let you down.

F#m   B   E   A
Like a fool, I fell in love with you,

F#m   B   E
You turned my whole world upside down.

Chorus 2

A   Dm B♭
Layla, __

C   Dm
Got me on my knees,

        B♭
Layla,

    C   Dm
I'm beggin' darlin' please,

       B♭
Layla,

C   Dm   B♭ C
Darlin', won't you ease my worried mind?

Verse 3

C#m7   G#m7
Make the best of the situation,

C#m7   C   D   E   E7
Before I finally go insane.

F#m   B   E   A
Please don't say we'll never find a way,

F#m   B   E
Don't tell me all my love's in vain.

Chorus 3

  A Dm B♭
‖: Layla, __

C   Dm
Got me on my knees,

      B♭
Layla,

    C   Dm
I'm beggin' darlin' please,

      B♭
Layla,

C   Dm   B♭ C Dm
Darlin', won't you ease my worried mind?   :‖

Guitar solo

‖: Dm | B♭ | C | Dm | Dm | B♭ | C | Dm :‖ *Play 5 times*

| Dm | B♭ | C | Dm | Dm | B♭ | C | C ‖

Piano solo

‖: C | C/E | F | F |

| C | C/E | F | F | B♭9 | B♭9 | C | C |

| C | C/E | F | F | B♭9 | B♭9 | C | C |

| C | C/E | F | F | B♭9 | B♭9 | C | C | Em/B ‖

| Am7 | Dm7 | G | C | Am | Dm | G | G :‖ *Play 3 times*

Coda

| C | C/E | F | F |

| C | C/E | F | F | B♭9 | B♭9 | C | C |

‖: C | C/E | F | F :‖ *Play 4 times*

| C | C/E | F | F | B♭9 | B♭9 | C | C ‖

Lady D'Arbanville

Words & Music by Cat Stevens

Em   D7   D   Bm   G

Intro | (Em) | (Em) | (Em) | (Em) ||

Verse 1
N.C.   (Em) D7   N.C.   (D)
My Lady D'Arbanville,   why do you sleep so still?
Em   N.C.   (Em) D7   Bm
    I'll wake you tomorrow   and you will be my fill,
                Em
Yes you will be my fill.

Verse 2
N.C.   Em D
My Lady D'Arbanville,   why does it grieve me so?
Em   D   Bm
    But your heart seems so silent,   why do you breathe so low,
                Em
Why do you breathe so low?

Verse 3
N.C.   (Em) D
My Lady D'Arbanville,   why do you sleep so still?
Em   G   D   Bm
    I'll wake you tomorrow   and you will be my fill,

Yes you will be my (fill.)

Link 1 | (Em) | (Em) | (Em) | (Em) | (D) | (Em) ||
fill.

Verse 4
N.C.   (Em) D
My Lady D'Arbanville,   you look so cold tonight.
Em   D7   Bm
    Your lips feel like winter,   your skin has turned to white,
                Em
Your skin has turned to white.

Verse 5 As Verse 3

Verse 6

   Em   **D**
  La la la la la la, la la la la la la,
   Em   **G** **D**   **Bm**
  La la la la la la-ah, la la la la la la,

La la la la la (la.)

Link 2

| (Em) | (Em) |
  la.

Verse 7

N.C.   **Em** **D**
My Lady D'Arbanville,   why do you greet me so?
Em   **D**   **Bm**
  But your heart seems so silent, why do you breathe so low,
                  Em
Why do you breathe so low?

Verse 8

N.C.   **Em** **D**
I loved you, my lady,   though in your grave you lie,
Em   **G** **D**   **Bm**
  I'll always be with you, this rose will never die,
               Em
This rose will never die.

Verse 9

N.C.   **Em** **D**
I loved you, my lady,   though in your grave you lie,
Em   **G** **D**   **Bm**
  I'll always be with you, this rose will never die,

This rose will never (die.)

Coda

| (Em) | (Em) | (Em) | (Em) | **Em** ‖
  die.

Kung Fu Fighting

Words & Music by Carl Douglas

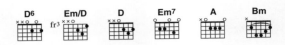

Intro

‖: Oh-oh-oh-oh, oh-oh-oh-oh. :‖

(Intro chords: D6, Em/D)

Chorus 1

N.C.   D
Everybody was Kung Fu fighting,
     Em7
Those cats were fast as lightning,
     D
In fact it was a little bit fright'ning,
     Em7
But they fought with expert timing.

Verse 1

     D   Em7
There were funky Chinamen from funky Chinatown,
     D   Em7
They were chopping them up, they were chopping them down.
     D   Em7
It's an ancient Chinese art, and everybody knew their part.
     D   A
From a feinting to a slip, and a kicking from the hip.

Chorus 2

As Chorus 1

Verse 2

     D   Em7
There was funky Billy Chinn and little Sammy Chong,
     D   Em7
He said,   "Here comes the big boss,   let's get it on."
     D   Em7
We took the bow and made a stand, started swaying with the hand.
     D   A
A sudden motion made me skip, now we're into a brand new trip.

Chorus 3   As Chorus 1

Bridge

              Bm   **Em7**
Oh-oh-oh-oh, oh-oh-oh-oh.
              Bm
Oh-oh-oh-oh, oh-oh-oh-(oh.)
Em7   **A**
{   Keep on, keep on, keep on, keep on, sure 'nuff.
{ oh.

Chorus 4

                D
Everybody was Kung Fu fighting,
                Em7
Those cats were fast as lightning,
               D
In fact it was a little bit fright'ning,
                  Em7
Make sure you have expert timing.

Coda

    D
Kung Fu fighting,
            Em7
Had to be   fast as lightning.

‖:   **D**
  Oh-oh-oh-oh,
        Em7
Oh-oh-oh-oh.   :‖   *Repeat to fade*

Lean On Me

Words & Music by Bill Withers

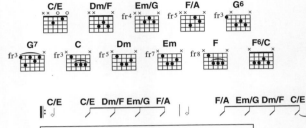

Intro

1.

2.

Verse 1

    C   Dm Em F
Some - times in our lives,

       Em Dm C
We all have pain,

       Dm Em G6   G7
We all have sor - row.

C   C Dm Em F
But if we are wise,

       Em   Dm C
We know that there's,

       Dm Em G7   C
Al - ways to - mor - row.

Chorus 1

          C   Dm   Em F
Lean on me, when you're not strong,

          Em Dm C   Dm Em G6   G7
And I'll be your friend, I'll help you carry on,

C   Dm   Em F
For it won't be long,

        Em Dm C   Dm C G7 C
Till I'm gon - na need some - bo - dy to lean on.

Verse 2

```
     C              Dm Em  F
Please swal - low your pride,
```

```
     Em Dm  C           Dm Em  G6   G7
If  I   have things you need to   bor - row,
```

```
C         Dm Em F      Em Dm  C
For no one can fill those of  your needs,
```

```
           Dm Em   G7 C
That you won't let show.
```

Bridge 1

```
            C N.C.                   (C)
You just call on me brother when you need a hand,
```

```
          (C)                (G7) (C)
We all need somebody to lean on,
```

```
          (C)                 (C)
I just might have a problem that you'll understand,
```

```
          (C)                G7  C
We all need somebody to lean on.
```

Chorus 2   As Chorus 1

Bridge 2   As Bridge 1

Verse 3

```
C         Dm Em F
If there is  a   load,
```

```
      Em  Dm C         Dm Em  G6   G7
You have to   bear that you can't car - ry,
```

```
C           Dm Em F
I'm right up  the  road,
```

```
      Em  Dm  C      Dm Em G7 C
I'll share your load if you  just call me.
```

Outro

```
‖:  F6/C  C              F6/C   C
    Call  me if you need a friend,___
```

```
F6/C  C              F6/C   C
Call  me if you need a friend.___ :‖  Repeat ad lib. to fade
```

Le Freak

Words & Music by Bernard Edwards & Nile Rodgers

Am7   D

Intro

Am7
Ah, freak out!
D   Am7
Le Freak, C'est Chic,
Am7 D Am7
Freak out!

Ah, freak out!
D   Am7
Le Freak, C'est Chic,
D Am7
Freak out!

Verse 1

Am7   D   Am7
  Have you heard a - bout the new dance craze?
            D   Am7
Listen to us, I'm sure you'll be a - mazed,
          D   Am7
Big fun to be had by every - one,
              D   Am7
It's up to you, it surely can be done.
              D   Am7
Young and old are doing it, I'm told,
            D   Am7
Just one try, and you too will be sold,
                      D   Am7
It's called Le Freak, they're doing it night and day,
            D   Am7
Allow us, we'll show you the way,

Chorus 1

Am7
Ah, freak out!
D   Am7
Le Freak, C'est Chic,
D Am7
Freak out!

Verse 2

Am7   D   Am7
All that pressure   got you down,

               D   Am7
Has your head spinning all a - round,

          D   Am7
Feel the rhythm,   chant the rhyme,

             D   Am7
Come on along and have a real good time.

             D   Am7
Like the days of stomping at the Sa - voy,

           D   Am7
Now we freak, oh what a joy,

             D   Am7
Just come on down,   to the 54,

             D   Am7
Find a spot out on the floor.

Chorus 2   As Chorus 1

Instr.

| Am7 | Am7 | D | D | |
Now Freak!

| Am7 | Am7 | D | D |

| Am7 | Am7 | D | D |

| Am7 | Am7 | D | D |
                          I said,

| Am7 | Am7 | D | D |
Freak!

| Am7 | Am7 | D | D |
                        now,

| Am7 | Am7 | D | D |
Freak!

| Am7 | Am7 | D | D ‖

Verse 3   As Verse 2

Outro   ‖: As Chorus 1 :‖ *Repeat to fade*

95

Let Your Love Flow

Words & Music by Larry E. Williams

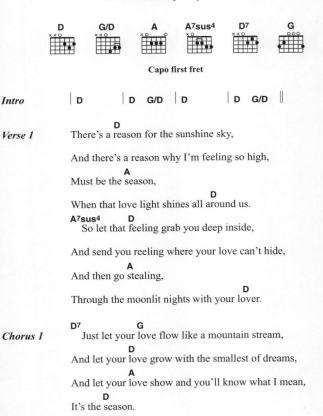

Capo first fret

Intro | D | D G/D | D | D G/D ||

Verse 1
                                    D
There's a reason for the sunshine sky,

And there's a reason why I'm feeling so high,
                        A
Must be the season,
                                                D
When that love light shines all around us.
A7sus4   **D**
    So let that feeling grab you deep inside,

And send you reeling where your love can't hide,
                        A
And then go stealing,
                                                D
Through the moonlit nights with your lover.

Chorus 1
            D7   **G**
    Just let your love flow like a mountain stream,
                        D
And let your love grow with the smallest of dreams,
                        A
And let your love show and you'll know what I mean,
                D
It's the season.

cont.

D7   **G**
    Let your love fly like a bird on the wing,

           D
And let your love bind you to all living things,

           A
And let your love shine and you'll know what I mean,

      D   **G/D** │ **D** **G/D** ‖
That's the reason.

Verse 2

       D
There's a reason for the warm sweet nights,

There's a reason for the candle lights,

     A
Must be the season,

              DD
When that love light shines all around us.

A7sus4   **D**
  So let the wonder take you into space,

And lay you under its loving embrace,

      A
Just feel the thunder,

             D
As it warms your face, you can't hold back.

Chorus 2   ‖: As Chorus 1 :‖ *Repeat to fade*

Let's Stay Together

Words & Music by Al Green, Willie Mitchell & Al Jackson

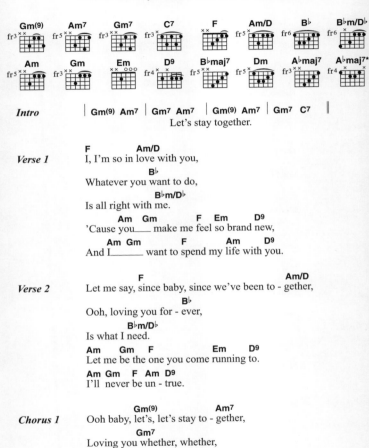

Intro | **Gm(9) Am7** | **Gm7 Am7** | **Gm(9) Am7** | **Gm7 C7** ‖

Let's stay together.

Verse 1

    F   **Am/D**
I, I'm so in love with you,

          B♭
Whatever you want to do,

        B♭m/D♭
Is all right with me.

    Am Gm   **F Em**   **D9**
'Cause you___ make me feel so brand new,

     Am Gm   **F**   **Am**   **D9**
And I_____ want to spend my life with you.

Verse 2

            F   **Am/D**
Let me say, since baby, since we've been to - gether,

          B♭
Ooh, loving you for - ever,

      B♭m/D♭
Is what I need.

Am   **Gm F**   **Em**   **D9**
Let me be the one you come running to.

Am Gm F Am D9
I'll never be un - true.

Chorus 1

        Gm(9)   **Am7**
Ooh baby, let's, let's stay to - gether,

        Gm7
Loving you whether, whether,

     B♭maj7 Am7 Dm   **C7**
Times are good or bad, happy or sad.

Link 1　　　| Gm(9) | Gm(9) | A♭maj7 | Gm(9) | A♭maj7* | A♭maj7* ‖

　　　　　　　　　　　　　　　　B♭maj7　Am7　Dm　　　C7
　　　　　　　　　Whether times are good or bad, happy or sad.

　　　　　　　　　F　　　　　　　　　　　　Am/D
Verse 3　　　Why somebody, why people break up,

　　　　　　　　　　　　　　　　　　　B♭
　　　　　　　　　Oh and turn around and make up,

　　　　　　　　　　　　B♭m/D♭
　　　　　　　　　I just can't see.___

　　　　　　　　　Am　　Gm　　　F　Em　　D9
　　　　　　　　　You'd ___ never do that to me, (would you, baby)

　　　　　　　　　Am　　Gm　　　F　　Am　D9
　　　　　　　　　Staying ___ around you is all I see.

　　　　　　　　　(Here's what I want us to do),

　　　　　　　　　Gm(9)　　　　　　　　　　Am7
Chorus 3　　　Let's, we oughta stay to - gether,

　　　　　　　　　　　　Gm7
　　　　　　　　　Loving you whether, whether,

　　　　　　　　　　　　　B♭maj7　Am7　Dm　　　C7
　　　　　　　　　Times are good or bad, happy or sad.

　　　　　　　　　　　　Gm(9)　　　　　　　　Am7
　　　　　　　　　Come on, let's, let's stay to - gether,

　　　　　　　　　　　　Gm7
　　　　　　　　　Loving you whether, whether,

　　　　　　　　　　　　　B♭maj7　Am7　Dm　　　C7
　　　　　　　　　Times are good or bad, happy or sad.

　　　　　　　　　　　　　　B♭maj7　　Am7　Gm7　　　　　C7
　　　　　　　　　'Cause you're meant for me, I can't set you free woman.

　　　　　　　　　　Gm(9)　　　　　　　　　　Am7
Outro chorus　‖: Let's, oh girl, let's stay to - gether,

　　　　　　　　　　　Gm7
　　　　　　　　　Loving you whether, whether,

　　　　　　　　　　　　B♭maj7　Am7　Gm7　　　C7
　　　　　　　　　Times are good or bad, happy or sad.

　　　　　　　　　　　　　B♭maj7　Am7　　Gm7　　　　C7
　　　　　　　　　Cause you're out with me, you can't set me free woman. :‖

　　　　　　　　　　　　　　　　　　　　　　Repeat with ad lib. vocal to fade

The Logical Song

Words & Music by Roger Hodgson & Richard Davies

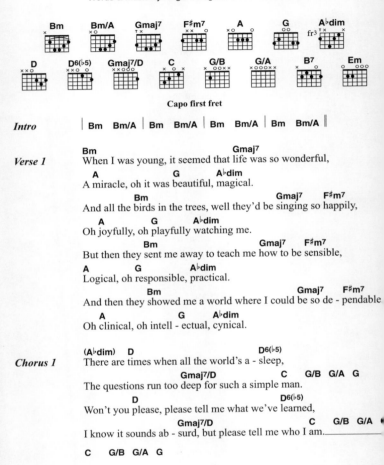

Capo first fret

Intro
| Bm Bm/A | Bm Bm/A | Bm Bm/A | Bm Bm/A ‖

Verse 1

Bm   Gmaj7
When I was young, it seemed that life was so wonderful,

  A   G   A♭dim
A miracle, oh it was beautiful, magical.

        Bm   Gmaj7   F#m7
And all the birds in the trees, well they'd be singing so happily,

  A   G   A♭dim
Oh joyfully, oh playfully watching me.

        Bm   Gmaj7   F#m7
But then they sent me away to teach me how to be sensible,

A   G   A♭dim
Logical, oh responsible, practical.

        Bm   Gmaj7   F#m7
And then they showed me a world where I could be so de - pendable

  A   G   A♭dim
Oh clinical, oh intell - ectual, cynical.

Chorus 1

(A♭dim) D   D6(♭5)
There are times when all the world's a - sleep,

                  Gmaj7/D   C   G/B G/A G
The questions run too deep for such a simple man.

       D   D6(♭5)
Won't you please, please tell me what we've learned,

            Gmaj7/D   C   G/B G/A
I know it sounds ab - surd, but please tell me who I am._____

C   G/B G/A G

ont.

C   Bm   Gmaj7 F#m7
I said now watch what you say, or they'll be calling you a radical,

A   G   A♭dim
A liberal, oh fa - natical, criminal.

Bm   Gmaj7   F#m7
Won't you sign up your name, we'd like to feel you're ac - ceptable,

A   G   A♭dim
Re - spectable, oh pre - sentable, a vegetable.

(Bm)
Oh, take it, take it, take it yeah.

Bridge

| Bm | Gmaj7 | F#m7 | A | G | A♭dim | |

| Bm | Gmaj7 | F#m7 | A | G | A♭dim | A♭dim ‖

                      (But at)

Chorus 2

(A♭dim) D   D6(♭5)
But at night, when all the world's a - sleep,

         Gmaj7/D   C G/B G/A G
The questions run so deep for such a simple man._____

      D   D6(♭5)
Won't you please, please tell me what we've learned,

        Gmaj7/D   C G/B G/A G
I know it sounds ab - surd, please tell me who I am._____

   C G/B G/A G
Who I am,

   C G/B G/A G
Who I am,

   C G/B G/A G
Who I am,_____ yeah.

Outro

‖: B7 | B7 | B7 | Em |
Vocal ad lib.

| B7 | B7 | B7 | Em D | G | :‖ *Repeat to fade*

101

Lola

Words & Music by Ray Davies

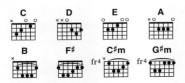

Intro
| C D | E ‖

Verse 1

    E
I met her in a club down in old Soho,

    A   **D**   **E**
Where you drink champagne and it tastes just like cherry-cola.

    A
C.O.L.A. cola.

    E
She walked up to me and she asked me to dance,

    A   **D**   **E**
I asked her her name and in a dark brown voice she said, "Lola".

    A D   **C D**
L.O.L.A. Lola, la-la-la-la Lola.

Link 1
| E | E ‖

Verse 2

      E
Well I'm not the world's most physical guy,

        A   **D**
But when she squeezed me tight she nearly broke my spine,

     E   **A**
Oh my Lola, la-la-la-la Lola.

     E
Well I'm not dumb but I can't understand,

       A   **D**
Why she walked like a woman and talked like a man,

    E   **A** **D**   **C**   **D**
Oh my Lola, la-la-la-la Lola, la-la-la-la Lola.

Link 2   *As Link 1*

Bridge 1

      B
Well, we drank champagne and danced all night,

F♯
Under electric candlelight.

   A
She picked me up and sat me on her knee,

And said, "Dear boy, won't you come home with me?"

Verse 3

     E
Well, I'm not the world's most passionate guy,

       A   **D**   **E**
But when I looked in her eyes, well, I almost fell for my Lola.

    A **D**   **C**   **D**
La-la-la-la Lola, la-la-la-la Lola.

Chorus 1

E   **A** **D**   **C**   **D**
Lola, la-la-la-la Lola, la-la-la-la Lola.

Link 3   *As Link 1*

Bridge 2

    A   **C♯m B**   **A**   **C♯m B**
I pushed her away, I walked to the door,

    A **C♯m B**   **E**   **G♯m C♯m**
I fell to the floor, I got down on my knees,

    B
Then I looked at her and she at me.

Verse 3

    E
Well that's the way that I want it to stay,

      A   **D**   **E**
And I always want it to be that way for my Lola,

    A
La-la-la-la Lola.

    E
Girls will be boys and boys will be girls,

    A   **D**   **E**
It's a mixed up muddled up shook up world except for Lola,

    A
La-la-la-la Lola.

Bridge 3

    B
Well I left home just a week before,

    F♯
And I'd never ever kissed a woman before,

    A
But Lola smiled and took me by the hand,

And said, "Little boy, I'm gonna make you a man."

Verse 4

    E
Well I'm not the world's most masculine man,

    A   **D**
But I know what I am and I'm glad I'm a man,

    E   **A D**   **C** **D**
And so is Lola, la-la-la-la Lola, la-la-la-la Lola.

Chorus 2 ‖: **E**   **A**   **C** **D** :‖ *Repeat to fade*
Lola, la-la-la-la Lola, la-la-la-la Lola.

Lonely Boy

Words & Music by Andrew Gold

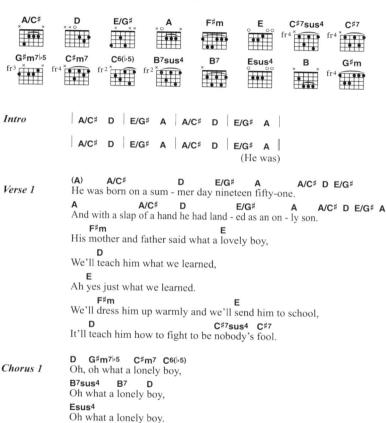

Intro

| A/C♯ D | E/G♯ A | A/C♯ D | E/G♯ A |

| A/C♯ D | E/G♯ A | A/C♯ D | E/G♯ A ‖

                  (He was)

Verse 1

(A)   A/C♯   D   E/G♯   A   A/C♯ D E/G♯
He was born on a sum - mer day nineteen fifty-one.

A   A/C♯   D   E/G♯   A   A/C♯ D E/G♯ A
And with a slap of a hand he had land - ed as an on - ly son.

     F♯m   E
His mother and father said what a lovely boy,

     D
We'll teach him what we learned,

     E
Ah yes just what we learned.

     F♯m   E
We'll dress him up warmly and we'll send him to school,

     D   C♯7sus4 C♯7
It'll teach him how to fight to be nobody's fool.

Chorus 1

D G♯m7♭5   C♯m7 C6(♭5)
Oh, oh what a lonely boy,

B7sus4   B7   D
Oh what a lonely boy,

Esus4
Oh what a lonely boy.

Link 1 | A/C♯ D | E/G♯ A | A/C♯ D | E/G♯ A ‖

Verse 2
(A)   A/C♯   D   E/G♯   A   A/C♯ D E/G
In the summer of fifty-three his mother brought him a sister.

A   A/C♯   D
And she told him we must attend to her needs,

E/G♯   A   A/C♯ D E/G♯ A
She's so much young - er than you.

        F♯m   E
Well he ran down the hall and he cried,

        D   E
Oh how could his parents have lied.

            F♯m   E
When they said he was an only son,

        D   C♯7sus4   C♯7
He thought he was the only one._____

Chorus 2   As Chorus 1

Link 2 | A/C♯ D | E F♯m | A/C♯ D | E F♯m |

            | A/C♯ D | E F♯m | A/C♯ D | E F♯m |

            | D | F♯m | D | F♯m |

            | D | F♯m | D | F♯m   ‖

(F♯m)   D   F♯m
Goodbye mama,

            D   F♯m
Goodbye to you.

            D   F♯m
Goodbye papa,

                    D   F♯m B A G♯m F♯m E
I'm pushing on through.

Bridge 1

```
| D              | G♯7♭5  C♯m7 | C6(♭5)      | B7sus4  B  | D          |
| Esus4          | A/C♯  D  | E    F♯m | A/C♯  D  | E    F♯m ‖
```
(He left)

Verse 3

(F♯m)   A/C♯   D   E/G♯   A   A/C♯ D E/G♯
He left home on a win - ter day nineteen sixty-nine.

A   A/C♯   D   E/G♯
And he hoped to find all the love he had lost,

          A   A/C♯ D E/G♯ A
In that ear - lier time.

        F♯m   E
Well his sister grew up and she married a man,

    D   E
He gave her a son, ah yes a lovely son.

      F♯m   E
They dressed him up warmly, they sent him to school,

    D   C♯7sus4 C♯7
It taught him how to fight to be nobody's fool.

Chorus 3

D   G♯m7♭5   C♯m7 C6(♭5)
Oh, oh what a lonely boy,

B7sus4   B7   D
Oh what a lonely boy,

Esus4   F♯m E
Oh what a lonely boy.

Chorus 4

E   D   G♯m7♭5   C♯m7 C6(♭5)
Whoa, whoa, whoa oh what a lonely boy,

B7sus4   B7   D
Oh what a lonely boy,

E   A/C♯ D E/G♯ A
Oh what a lonely boy._____

Outro

```
| A/C♯ D | E/G♯ A | A/C♯ D | E/G♯ A | A/C♯ D | E  A ‖
```

Love Really Hurts
Without You

Words & Music by Les Charles & Ben Findon

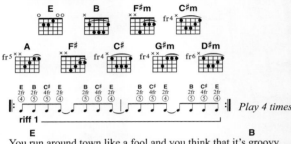

Intro 𝄆 riff 1 _____ 𝄇 *Play 4 times*

Verse 1

        E   B
You run around town like a fool and you think that it's groovy,
                 F#m
You're giving it to some other guy who gives you the eye,
C#m   B
You don't give nothing to me.

Verse 2

        E   B
You painted a smile and you dress all the while to excite me,
               F#m
But don't you know you're turning me on,
                          A   C#m   B
I know that it's wrong, but I can't stop the pain in - side me.

Chorus 1

E   B
Baby, love really hurts without you,
                    F#m
Love really hurts without you,
     A
And it's breaking my heart,
    C#m   B
But what can I do?
E   B
Baby, love really hurts without you,
                    F#m
Love really hurts through and through,
     A
And it's breaking my heart,
    C#m   B   **(E)w/riff 1** *(x2)*
But what can I do without you?

Verse 3

      E   B
You walk like a dream and you make like you're queen of the action,

          F♯m
You're using every trick in the book the way that you look,

      C♯m   B
You're really something to see.

Verse 4

      E   B
You cheat and you lie to impress any guy that you fancy,

              F♯m
But don't you know I'm out of my mind, so give me a sign,

     A   C♯m   B
And help to ease the pain in - side me.

Chorus 2

    E   B
Baby, love really hurts without you,

                     F♯m
Love really hurts without you,

      A
And it's breaking my heart,

   C♯m   B
But what can I do?

   E   B
Baby, love really hurts without you,

                    F♯m
Love really hurts through and through,

      A
And it's breaking my heart,

   C♯m   B   (E)w/riff 1 *(x2)*   (F♯)w/riff 1 *(up 1 tone)*
But what can I do without you?

Chorus 3

  ‖: F♯   C♯
    Baby, love really hurts without you,

                    G♯m
Love really hurts without you,

      B
And it's breaking my heart,

   D♯m   C♯
But what can I do?

 F♯   C♯
Baby, love really hurts without you,

                    G♯m
Love really hurts through and through,

      B
And it's breaking my heart,

   D♯m   C♯
But what can I do? :‖ *Repeat to fade*

Midnight Rider

Words & Music by Gregg Allman & Robert Payne

Intro   ‖: Dᵇ Eᵇ Gᵇ | Aᵇ | Bᵇ | Bᵇ :‖

Verse 1
       Bᵇ
I've got to run to keep from hiding,

And I'm bound to keep on riding.

I've got one more silver dollar.

Chorus 1
       Eᵇm⁷
And I ain't gonna let 'em catch me, no,
Aᵇ   **Bᵇ**
Ain't gonna let 'em catch the Midnight Rider.
       Eᵇm⁷
And I ain't gonna let 'em catch me, no,
Aᵇ   **Bᵇ**
Ain't gonna let 'em catch the Midnight Rider.

Verse 2
       Bᵇ
I don't own the clothes I'm wearing,

And the road goes on forever.

I've got one more silver dollar.

Chorus 2   As Chorus 1

Guitar solo

B♭	B♭	B♭	B♭	
B♭	B♭	B♭	B♭	
B♭	B♭	B♭	B♭	
E♭m7	E♭m7	A♭	A♭	
B♭	B♭	B♭	B♭	
E♭m7	E♭m7	A♭	A♭	
B♭	B♭	B♭	B♭ ‖

Verse 3
                          B♭
Yes, I'm past the point of caring,

Someone's bed I'll soon be sharing.

I've got one more silver dollar.

Chorus 3
               E♭m7
‖: And I ain't gonna let 'em catch me, no,
A♭   B♭
Ain't gonna let 'em catch the Midnight Rider.
               E♭m7
And I ain't gonna let 'em catch me, no,
B♭   B♭
Ain't gonna let 'em catch the Midnight Rider. :‖   *Repeat to fade*

Metal Guru

Words & Music by Marc Bolan

| G | Em | Am | D | D/F# |

Intro | G | Em | G | Em | Am | D ‖

Verse 1
G   Em
   Metal guru is it you?
G   Em
   Metal guru is it you?
Am   D
Sitting there in your armour plated chair oh yeah.

Verse 2
G   Em
   Metal guru is it true?
G   Em
   Metal guru is it true?
Am   D
All alone without a telephone oh yeah.

Verse 3
G   Em
   Metal guru could it be,
G   Em
   You're gonna bring my baby to me,
Am
She'll be wild you know,
   D
A rock and roll child oh yeah.

Verse 4

G   Em
Metal guru has it been,

G
Just like a silver-studded sabre-tooth dream?   Em

Am
I'll be clean you know,

   D
A washing machine oh yeah.

G   Em
Metal guru is it you?

G   Em
Metal guru is it you?

Bridge

| G Am | D/F♯ Em | G Am | D/F♯ Em | Am | D ‖

Verse 5

As Verse 3

Verse 6

G   Em
Metal guru is it you?

G   Em
Metal guru is it you?

Am   D
All alone without a telephone, oh.

Verse 7

As Verse 3

Outro

‖: G   Em   G
Metal guru is it you (yeah yeah yeah)

        Em
Metal guru is it you (yeah yeah yeah) :‖ *Repeat to fade*

Make Me Smile
(Come Up And See Me)

Words & Music by Steve Harley

G   F   C   Dm   Em   Am

Intro | (G) | (G) | (G) ||

Verse 1
N.C.   F   C   G
You've done it all, you've broken every code, ____
F   C   G
    And pulled the rebel to the floor.
               F   C   G
You've spoilt the game, no matter what you say, ____
F   C   G
    For only metal, what a bore. ____
F   C
    Blue eyes,   blue eyes,
F   C   G
    How can you tell so many lies?

Chorus 1
Dm   F   C   G
    Come up and see me, make me smile, ____
Dm   F   C   G
    I'll do what you want, running wild. ____

Verse 2
N.C.   F   C   G
There's nothing left, all gone and run away.
F   C   G
    Maybe you'll tarry for a while.
              F   C   G
It's just a test, a game for us to play,
F   C   G
    Win or lose, it's hard to smile.
F   C
    Resist,   resist,
F   C   G
    It's from yourself you'll have to hide.

Chorus 2

Dm   F   C   G
    Come up and see me, to make me smile, ___

Dm   F   C   G   N.C.
    I'll do what you want, running wild. ___

Guitar solo | F | Em | F | Am | Em | Em |

| G | G | Dm | F | C | G |

| Dm | F | C | G | G ‖

Verse 3

N.C.   F   C   G
There ain't no more, you've taken everything,

F   C   G
    From my belief in Mother Earth.

                F   C   G
Can you ignore my faith in everything?

F   C   G
    'Cause I know what faith is and what it's   worth.

F   C
    Away, away,

F   C   G   Dm
    And don't say maybe you'll try, ___ oh, oh

Chorus 3

                  F   C   G
To come up and see me, to make me smile, ___

Dm   F   C   G   N.C.
    I'll do what you want, just running wild. ___

Link 1 | F | C | F | C | G | G ‖

Chorus 4

Dm   F   C   G
    Come up and see me, make me smile, ___

Dm   F   C   G
    I'll do what you want, running wild. ___

Link 2 | F | C | F | C | G | G ‖

Chorus 5

‖: Dm   F   C   G
    Come up and see me, to make me smile, ___

Dm   F   C   G
I'll do what you want, running wild. ___ :‖   *Repeat to fade*

Midnight At The Oasis

Words & Music by David Nichtern

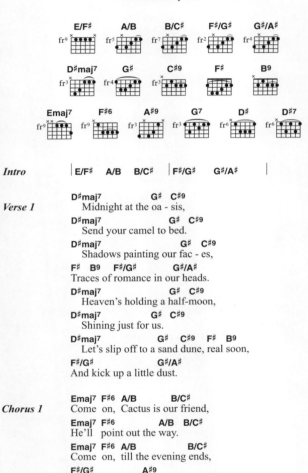

Intro | E/F♯   A/B   B/C♯ | F♯/G♯   G♯/A♯ |

Verse 1

D♯maj7   G♯   C♯9
  Midnight at the oa - sis,

D♯maj7   G♯   C♯9
  Send your camel to bed.

D♯maj7   G♯   C♯9
   Shadows painting our fac - es,

F♯   B9   F♯/G♯   G♯/A♯
Traces of romance in our heads.

D♯maj7   G♯   C♯9
  Heaven's holding a half-moon,

D♯maj7   G♯   C♯9
  Shining just for us.

D♯maj7   G♯   C♯9   F♯   B9
  Let's slip off to a sand dune, real soon,

F♯/G♯   G♯/A♯
And kick up a little dust.

Chorus 1

Emaj7 F♯6 A/B   B/C♯
Come on, Cactus is our friend,

Emaj7 F♯6   A/B   B/C♯
He'll   point out the way.

Emaj7 F♯6 A/B   B/C♯
Come on, till the evening ends,

F♯/G♯   A♯9
Till the evening ends.

Verse 2

D♯maj7   G♯ C♯9
You don't have to answer,

D♯maj7   G♯   C♯9
There's no need to speak.

D♯maj7   G♯ C♯9 F♯ B9
I'll be your belly dancer,   prancer,

    F♯/G♯   G♯/A♯
And you can be my sheik.

Guitar Solo

                                       x3
‖: D♯maj7 | G♯   C♯9   :‖ F♯ B9 | F♯/G♯ G♯/A♯|

                                       x3
‖: Emaj7 F♯6 | A/B   B/C♯   :‖ F♯/G♯ A♯9 |

Verse 3

D♯maj7   G♯ C♯9
I know your Daddy's a sultan,

D♯maj7   G♯   C♯9
A nomad known to all.

D♯maj7   G♯ C♯9   F♯ B9
With fifty girls to attend him, they all send him,

F♯/G♯   G♯/A♯
Jump at his beck and call.

D♯maj7   G♯   C♯9
But you won't need no harem honey,

D♯maj7   G♯   C♯9
When I'm by your side.

D♯maj7   G♯ C♯9 F♯ B9
And you won't need no camel,   no, no,

    F♯/G♯   A♯9
When I take you for a ride.

Chorus 2

Emaj7 F♯6 A/B   B/C♯
Come on, Cactus is our friend,

Emaj7 F♯6   A/B B/C♯
He'll point out the way.

Emaj7 F♯6 A/B   B/C♯
Come on, till the evening ends,

F♯/G♯   A♯9
Till the evening ends.

Verse 4

D#maj7   G# C#9
  Midnight at the oa - sis,

D#maj7   G# C#9
  Send your camel to bed.

D#maj7   G# C#9
  Got shadows painting our fac - es,

  F# B9 F#/G#   G#/A#
And traces of romance in our heads._____

Outro   ‖: G# G7 | D# D#7   :‖ *Repeat to fade*

More Than A Feeling

Words & Music by Tom Scholz

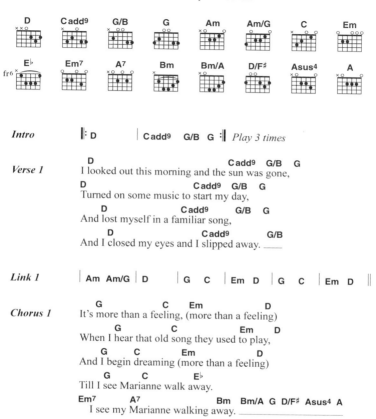

Intro   ‖: D | Cadd⁹   G/B   G :‖ *Play 3 times*

Verse 1
     D   Cadd⁹   G/B   G
I looked out this morning and the sun was gone,
    D   Cadd⁹   G/B   G
Turned on some music to start my day,
    D   Cadd⁹   G/B   G
And lost myself in a familiar song,
    D   Cadd⁹   G/B
And I closed my eyes and I slipped away. ____

Link 1 | Am Am/G | D | G   C | Em   D | G   C | Em   D   ‖

Chorus 1
    G   C Em   D
It's more than a feeling, (more than a feeling)
      G   C   Em   D
When I hear that old song they used to play,
    G   C   Em   D
And I begin dreaming (more than a feeling)
    G   C   E♭
Till I see Marianne walk away.
Em⁷   A⁷   Bm Bm/A G D/F♯ Asus⁴ A
I see my Marianne walking away. _____

119

Guitar solo | D   G | D/F♯ A | D   G | D/F♯ A | D   G | Bm A |

| D   Bm | Em7 A | G | G   D/F♯ Em ‖

Link 2 | D | D | Cadd9 G/B G | D | Cadd9 G/B G

        D   Cadd9   G/B G
Verse 2 When I'm tired and thinking cold,
        D   Cadd9 G/B   G
        I hide in my music, forget the day,
            D   Cadd9   G/B G
        And dream of a girl I used to know,
            D   Cadd9 G/B Cadd9
        I closed my eyes and she slipped away. _____

Link 3 | D | Cadd9 G/B G | D | Cadd9 G/B G |
                                              She slipped a

        | D | Cadd9 | G/B | D | Cadd9 | G/B   ‖
        -way.

Link 4 | Am Am/G | D | D |

        | G   C | Em D | G   C | Em D ‖

120

Chorus 2

       G   C   Em   D
It's more than a feeling, (more than a feeling)

         G   C   Em   D
When I hear that old song they used to play,

       G   C   Em   D
And I begin dreaming, (more than a feeling)

       G   C   Em   D
Till I see Marianne walk away._____

Coda   ‖: G C | Em D :‖ *Repeat to fade*

Mother And Child Reunion

Words & Music by Paul Simon

A   F#m   D   E   Bm

Intro   ‖: A | A | F#m | F#m   :‖

Chorus 1
       D   E   A
No, I would not give you false hope,
             D   E   A
On this strange and mournful day,
          D   E   A F#m
But the mother and child reun - ion,
      Bm A   E
Is only a motion away.

Verse 1
           F#m
Oh, little darling of mine.
          E
I can't for the life of me,
       F#m
Remember a sadder day.
          E
I know they say let it be,
              F#m
But it just don't work out that way,
             D
And the course of a lifetime runs,
       E
Over and over again.

Chorus 2
       D   E   A
No, I would not give you false hope,
             D   E   A
On this strange and mournful day,
          D   E   A F#m
But the mother and child reun - ion,
      Bm A   E
Is only a motion away.

Verse 3

       F♯m
Oh, little darling of mine,

      E
I just can't believe it's so,

        F♯m
And though it seems strange to say,

   E
I never been laid so low,

    F♯m
In such a mysterious way,

       D
And the course of a lifetime runs,

  E
Over and over again.

Chorus 3

   D   **E**   **A**
But I would not give you false hope,

   D   **E**   **A**
On this strange and mournful day,

     D   **E** **A** **F♯m**
When the mother and child reun - ion,

Bm **A**   **E**
Is only a motion away.

      D   **E**   **A**
‖: Oh, oh the mother and child reunion,

 D   **E**   **A**
Is only a motion away,

    D   **E**   **A** **F♯m**
Oh the mother and child reun - ion,

Bm **A**   **E**
Is only a moment away. :‖ *Repeat to fade*

My Brother Jake

Words & Music by Paul Rodgers & Andy Fraser

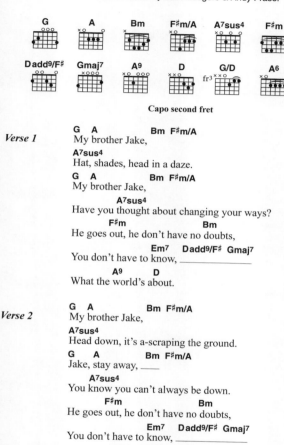

Capo second fret

Verse 1

G A   Bm F♯m/A
My brother Jake,

A⁷sus⁴
Hat, shades, head in a daze.

G A   Bm F♯m/A
My brother Jake,

      A⁷sus⁴
Have you thought about changing your ways?

    F♯m   **Bm**
He goes out, he don't have no doubts,

          Em⁷ **Dadd⁹/F♯** **Gmaj7**
You don't have to know, _____

       A⁹   **D**
What the world's about.

Verse 2

G A   Bm F♯m/A
My brother Jake,

A⁷sus⁴
Head down, it's a-scraping the ground.

G A   Bm F♯m/A
Jake, stay away, ____

    A⁷sus⁴
You know you can't always be down.

    F♯m   **Bm**
He goes out, he don't have no doubts,

          Em⁷ **Dadd⁹/F♯** **Gmaj7**
You don't have to know, _____

       A⁹   **D**
What the world's about.

Bridge 1

            G/D   D
I said "Jake,

                   G/D   D   Bm A
Now won't you wait, what's got into you?

          G/D   D   G/D   D
The kettle is burning, the wheels are turning,

  A9   D
   What you gonna do?"

Verse 3

            G   A   Bm F#m/A
My brother Jake,

              A7sus4
Won't you start again, try making some friends?

            G   A   Bm F#m/A
Jake, it's not too late, ___

            A7sus4
To start again, try making amends.

              F#m   Bm
He goes out, he don't have no doubt,

                    Em7   Dadd9/F# Gmaj7
You don't have to know, _____

              A9   D
What the world's about.

Bridge 2

‖:   G/D   D
I said "Jake, ___

             G/D
Now won't you wait? ___

                    D   Bm A
What's gone wrong with you?

         G/D   D   G/D   D
The kettle is burning, the wheels are turning,

 A9   D
   What you gonna do?"   :‖

Bridge 3

            G/D   D
I said "Jake, Jake, Jake,

              G/D   D   Bm A
Won't you wait, wait, wait, what's got into you?

            G/D   D   G/D   D
The kettle is burning, the wheels of time are turning,

  A9   D
   What you gonna do?   Listen:"

Coda

              Bm   A6   Gmaj7   D/F#
"I'm gonna make you, Jake, because you've got what it takes

            Em7   D
To give a whole lotta people some soul."

My Sharona

Words & Music by Douglas Fieger & Berton Averre

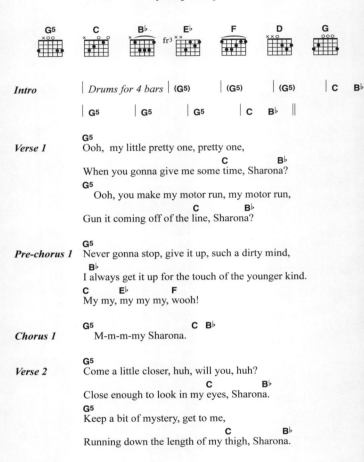

Intro | *Drums for 4 bars* **(G5)** | **(G5)** | **(G5)** | C B♭

| G5 | G5 | G5 | C B♭ ‖

Verse 1
G5
Ooh, my little pretty one, pretty one,
                                            C   B♭
When you gonna give me some time, Sharona?
G5
   Ooh, you make my motor run, my motor run,
                                 C   B♭
Gun it coming off of the line, Sharona?

Pre-chorus 1
G5
Never gonna stop, give it up, such a dirty mind,
  B♭
I always get it up for the touch of the younger kind.
C   E♭   F
My my, my my my, wooh!

Chorus 1
G5   C B♭
   M-m-m-my Sharona.

Verse 2
G5
Come a little closer, huh, will you, huh?
                        C   B♭
Close enough to look in my eyes, Sharona.
G5
Keep a bit of mystery, get to me,
                          C   B♭
Running down the length of my thigh, Sharona.

Pre-chorus 2 As Pre-chorus 1

126

Chorus 2

G5

M-m-m-my Sharona, m-m-m-my Sharona.

Guitar solo 1 ‖: C | E♭ F | G5 | G5 :‖ *Play 3 times*

| C | E♭ F | D | D ‖

Link 1 ‖: G5 | G5 | G5 | C B♭ :‖

Verse 3

G5

When you gonna give to me, give to me;

C   B♭

Is it just a matter of time, Sharona?

G5

Is it destiny, d-d-d-d-destiny,

C   B♭

Or is it just a game in my mind, Sharona?

Pre-chorus 3 As Pre-chorus 1

Chorus 3

G5   C   E♭   F

M-m-m-m-m-m-m, my-my-my-my-my wooh!

Chorus 4

G5

M-m-m-my Sharona, m-m-m-my Sharona.

M-m-m-my Sharona, m-m-m-my Sharona.

Link 2 | C | C | C | C ‖

Guitar solo 2 ‖: C G | F G | C G | F G :‖ *Play 5 times*

| C G | F G | D | D | N.C. ‖

Link 3 ‖: G5 | G5 | G5 | G5 :‖

Coda ‖: G5   C   B♭

Oh _____ my Sharona! :‖ *Play 3 times*

New Rose

Words & Music by Brian James

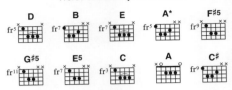

Tune slightly flat

Intro
(*Spoken*)

Is she really going out with him?

Drums

| N.C. | N.C. | N.C. | N.C. | |

‖: D   B | E   A*   :‖ *Play 4 times*

| A*   N.C.   F#5   G#5 |
        Ah!

‖: E5 | E5   F#5   G#5 :‖ *Play 3 times*

| E5 | E5   ‖

Verse 1

C
  I got a feeling inside of me,
A
  It's kinda strange like a stormy sea.
C
  I don't know why, I don't know why,
A   F#5   G#5
  I guess these things have got to be.

Chorus 1

E5   F#5   G#5
  I got a new rose, I got her good,
E5   F#5   G#5
  Guess I knew that I always would.
E5   F#5   G#5
  I can't stop to mess around,
E5
  I got a brand new rose in town.

Verse 2

C
See the sun, see the sun it shines,

A
Don't get too close or it'll burn your eyes.

C
Don't you run away that way,

A   F♯5 G♯5
You can come back another day.

Chorus 2

E5   F♯5 G♯5
I got a new rose, I got her good,

E5   F♯5 G♯5
Guess I knew that I always would.

E5   F♯5 G♯5
I can't stop to mess around,

E5
I got a brand new rose in town.

Link

| E5 | E5 F♯5 G♯5 | E5 | E5 |

Bridge

A*   B   C♯ | C♯ |
I never thought this could happen to me,

A*   B   C♯ | C♯ |
I feel so strange, so why should it be?

A*   B   C♯ | C♯ |
I don't deserve somebody this great,

A*   B   C♯ | C♯ |
I'd better go or it'll be too late, yeah.

Instrumental

‖: D B | E A* :‖ *Play 4 times*

| A* N.C. F♯5 G♯5 |

‖: E5 | E5 F♯5 G♯5 :‖ *Play 3 times*

| E5 | E5 ‖

Verse 3

C
I got a feeling inside of me,

A
It's kinda strange like a stormy sea,

C
I don't know why, I don't know why,

A   F#5   G#5
I guess these things have got to be.

Chorus 3

E5   F#5   G#5
I got a new rose, I got her good,

E5   F#5   G#5
Guess I knew that I always would,

E5   F#5   G#5
I can't stop to mess around,

E5   F#5   G#5
I got a brand new rose in town.

Outro

‖: E5 | E5   F#5   G#5 :‖ *Play 3 times*

| E5 | E5   N.C.   ‖

Power To The People

Words & Music by John Lennon

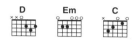

Intro

‖: **N.C.**
Power to the people,

Power to the people. :‖

Chorus 1

D   **Em**   **D**   **Em**
Power to the people,
D   **Em**   **D**   **Em**
Power to the people,
D   **Em**   **D**   **Em**
Power to the people,
D   **C**   **D**
Power to the people, right on.

Verse 1

        Em
You say you want a revolution,

We'd better get on it right away.

Well, let's get on your feet,

End of the street, singing:

Chorus 2   As Chorus 1

                  Em
Verse 2   A million workers working for nothing,

You better give them what they really own.

We gotta put you down,

When we come into town singing:

        D   **Em**   **D**   **Em**
Chorus 3   Power to the people,
        D   **Em**   **D**   **Em**
Power to the people,
        D   **Em**   **D**   **Em**
Power to the people,
        D   **C**   **D**
Power to the people, right on.

                Em
Verse 3   I gotta ask you comrades and brothers,

How do you treat your old woman back home?

She's gotta be herself,

So she can give us help, singing:

Chorus 4   As Chorus 3

Sax solo | Em | Em | Em | Em |
             | Em | Em | D   Em | D   Em ||

Chorus 4   ‖: D   Em   D   Em
             Power to the people,
             D   Em   D   Em
             Power to the people,
             D   Em   D   Em
             Power to the people,
             D   C   D
             Power to the people, right on. :‖ *Repeat to fade*

Oliver's Army

Words & Music by Elvis Costello

G   C   D   B7   Em   A

D/F#   G/B   F#m   E   fr4 C#   Amaj7   A/C#

Capo second fret

Intro ‖: G | G | C | D :‖

Verse 1

G
    Don't start that talking,
C   D   G
    I could talk all night, ____

My mind is sleep-walking,
C   B7   Em
    While I'm putting the world to right.
            A
Called Careers Information,
Em   A   D
    Have you got yourself an occu - (pation?)

Chorus 1

G   C   D
{ Oliver's army is here to stay, ____
{ - pation?
G   C   D   G
Oliver's army are on their way, ____
      D/F#   Em   D   C G/B D   G
And I would rather be anywhere else but here today.

| G | C | D ‖

Verse 2

G
    There was a checkpoint charlie,
C   D   G
    He didn't crack a smile. ____

cont.

But it's no laughing party,

C   B7   Em
When you've been on the murder mile.

        A
Only takes one itchy trigger,

Em   A   D
One more widow, one less white nigger.

Chorus 2

G   C   D
Oliver's army is here to stay, ___

G   C   D   G
Oliver's army are on their way, ___

     D/F♯ Em   D   C G/B D   G
And I would rather be anywhere else but here today.

| G | C | D ‖

Bridge

F♯m   E   D   C♯
Hong Kong is up for grabs, London is full of Arabs.

B7   E   D   E
We could be in Palestine, over-run by the Chinese line,

       D   E
With the boys from the Mersey and the Thames and the Tyne.

Verse 3

A
But there's no danger,

D   E   A
It's a professional career.

                 D   C♯   F♯m
Though it could be arranged with just a word in Mr Churchill's ear.

        B7   F♯m
If you're out of luck or out of work,

        B7 E   A   D E
We could send you to Johannesburg.

Chorus 3

A   D   E
Oliver's army is here to stay,

A   D   E   A
Oliver's army are on their way, ___

     Amaj7 F♯m   E   D A/C♯ E   A
And I would rather be anywhere else but here today.

Coda

‖:   Amaj7 F♯m   E   D A/C♯ E   A
‖: And I would rather be anywhere else but here today. :‖

‖:   D   E   A
‖: Oh-oh-oh-oh-oh, oh-oh-oh-oh-oh. :‖ *Repeat to fade*

No More Heroes

Words & Music by Hugh Cornwell, Jean-Jacques Burnel, David Greenfield & Jet Black

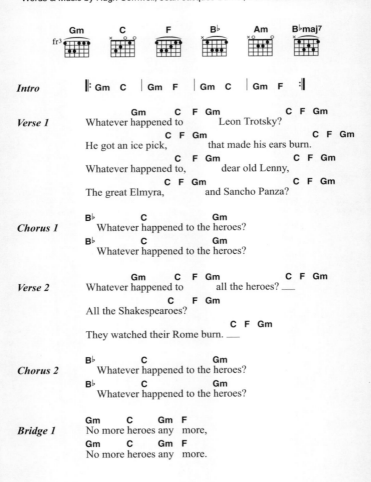

Intro   ‖: Gm C | Gm F | Gm C | Gm F :‖

Verse 1
            Gm   C   F Gm   C F Gm
Whatever happened to   Leon Trotsky?
                    C F Gm   C F Gm
He got an ice pick,   that made his ears burn.
                    C F Gm   C F Gm
Whatever happened to,   dear old Lenny,
                    C F Gm   C F Gm
The great Elmyra,   and Sancho Panza?

Chorus 1
Bb   C   Gm
  Whatever happened to the heroes?
Bb   C   Gm
  Whatever happened to the heroes?

Verse 2
            Gm   C F Gm   C F Gm
Whatever happened to   all the heroes? __
                  C   F Gm
All the Shakespearoes?
                          C F Gm
They watched their Rome burn. __

Chorus 2
Bb   C   Gm
  Whatever happened to the heroes?
Bb   C   Gm
  Whatever happened to the heroes?

Bridge 1
Gm   C   Gm F
No more heroes any more,
Gm   C   Gm F
No more heroes any more.

Guitar solo ‖: Gm Am │ B♭ C :‖: Gm Am │ B♭ Am :‖

‖: Gm Am │ B♭ F :‖: Gm C │ Gm F :‖

Keyboard solo ‖: B♭ │ C │ B♭maj7 │ C :‖ *Play 5 times*

│ Gm C │ Gm F │ Gm C │ Gm F ‖

Verse 3
           Gm   C F Gm   C F Gm
Whatever happened to   all of the heroes? ___

                  C   F Gm
All the Shakespearoes?

                      C F Gm
They watched their Rome burn. ___

Chorus 3
B♭   C   Gm
 Whatever happened to the heroes?
B♭   C   Gm
 Whatever happened to the heroes?

Bridge 2
Gm   C   Gm F
No more heroes any more,
Gm   C   Gm F
No more heroes any more,
Gm   C   Gm F
No more heroes any more,
Gm   C   Gm F
No more heroes any more,

Coda ‖: Gm │ Gm │ Gm │ Gm :‖ *Play 3 times*

Pretty Vacant

Words & Music by Steve Jones, Johnny Rotten, Paul Cook & Glen Matlock

A5 **A** **G** fr³ **D** **E** fr⁷ **C** fr³

Intro   ‖: A5   :‖: A :‖
x8   *x12*

Verse 1
        A   G
There's no point in asking,
            D   A
You'll get no reply,
   G   E
Oh just remember, I don't decide.
   A   G   D   A
I got no reason, it's all too much,
         G   E   A
You'll always find us out to lunch!

Chorus 1
        D   C
Oh we're so pretty, oh so pretty,
   A
    We're vacant.
        D   C
Oh we're so pretty, oh so pretty,
   A
    A - vacant.

Verse 2
        A   G
Don't ask us to attend,
            D   A
'Cause we're not all there,
   G   E
Oh don't pretend 'cause I don't care.
   A   G   D   A
I don't believe in illusions, 'cause too much is real.
   G   E
So stop your cheap comment,
                    A
'Cause we know what we feel.

Chorus 2

>   **D**   **C**
> Oh we're so pretty, oh so pretty,
> **A**
>   We're vacant.
>   **D**   **C**
> Oh we're so pretty, oh so pretty,
> **A**
>   A - vacant.
>   **D**   **C**
> Oh we're so pretty, oh so pretty,
> **A**   **G** **E** **N.C.**   **A**
> Ah, but now,   and we don't care.

Verse 3

>   **A**   **G**
> There's no point in asking,
>   **D**   **A**
> You'll get no reply,
>   **G**   **E**
> Oh just remember, I don't decide.
> **A**   **G**   **D**   **A**
> I got no reason, it's all too much,
>   **G**   **E**   **A**
> You'll always find me, out to lunch!

Chorus 3   As Chorus 2

Outro

> **A**
> We're pretty, a - pretty vacant,
>
> We're pretty, a - pretty vacant,
>
> We're pretty, a - pretty vacant,
>
> We're pretty, a - pretty vacant,
>
> And we don't care!

Question

Words & Music by Justin Hayward

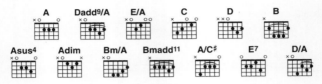

Capo third fret

Intro | A | Dadd⁹/A | E/A | Dadd⁹/A |

‖: C | D | C | B :‖ *Play 3 times*

| Asus⁴ | A Asus⁴ A Asus⁴ |

‖: Adim Dadd⁹/A | A Asus⁴ A Asus⁴ :‖

Verse 1

(A)   (Asus⁴) Adim Dadd⁹/A A Asus⁴ A
Why do we never get an   answer

Asus⁴   Adim   Dadd⁹/A A Asus⁴ A
When we're knocking at the   door,

Asus⁴ Adim   Dadd⁹/A A Asus⁴
With a thousand million questions

A Asus⁴ Adim   Dadd⁹/A A Asus⁴
About   hate and death and war?

Verse 2

A   Asus⁴   Adim   Dadd⁹/A A Asus⁴ A
'Cause when we stop and look   around us

Asus⁴ Adim   Dadd⁹/A   A Asus⁴ A
There is nothing that we   need,

Asus⁴ Adim   Dadd⁹/A A Asus⁴ A
In a   world of perse - cution

Asus⁴ Adim   Dadd⁹/A A   Asus⁴ A Asus⁴
That is burning in its   greed.

Link 1

C D C B
Ahh,_____

C D C B
Ahh._____

Dadd9/A A Asus4 A Asus4
Ahh,_____

‖: Adim   Dadd9/A │ A Asus4 A Asus4 :‖

Verse 3

(A)   (Asus4) Adim   Dadd9/A A Asus4 A
Why do we never get an   answer

Asus4   Adim   Dadd9/A   A Asus4
When we're knocking at the   door?

A   Asus4   Adim   Dadd9/A   A Asus4
Because the truth is hard to   swallow,

A   Asus4   Adim   Dadd9/A   (A)
That's what the war of love is   (for).

Link 2

‖: A   │ A Bm/A :‖ A   │ A Bm/A │ A   ‖
for.

Middle 1

A   Bmadd11 A/C♯ D   A/C♯
It's not   the   way that you say it

        E7   A
When you do those things to me,

    Bmadd11 A/C♯ D   A/C♯
It's more   the   way that you mean it

       E7   A
When you tell me what will be.

      Bmadd11 A/C♯ D   A/C♯
And when   you stop and think about it

     E7   A
You won't believe it's true

    Bmadd11 A/C♯ D   A/C♯
That all   the love you've been giving

    E7   A
Has all been meant for you

Chorus 1

A D/A A E7   A
I'm looking for someone to change my life,

     E7   A
I'm looking for a miracle in my life.

  Bmadd11 A/C♯ D   A
And if you   could__ see what it's done to me,

      E7
To lose the love I knew,

       A
Could safely lead me through.

Middle 2

A Bmadd11 A/C♯ D   A/C♯
Between   the   silence of the mountains

          E7   A
And the crashing of the sea,

          Bmadd11 A/C♯ D   A/C♯
There lies   a   land I once lived in

          E7   A
And she's waiting there for me.

          Bmadd11 A/C♯ D   A/C♯
But in   the   grey of the morning

          E7   A
My mind becomes confused,

          Bmadd11 A/C♯ D   A/C♯
Between   the   dead and the sleeping

          E7   A
And the road that I must choose.

Chorus 2

A   D/A A   E7   A   Asus4 A
I'm look-ing for someone to change my life,

                 E7   A
I'm looking for a miracle in my life.

          Bmadd11 A/C♯ D   E7
And if you   could__ see what it's done to me,

                 A
To lose the love I_ knew,

          Bmadd11 A/C♯ D
Could safely lead   me___ to

                 A
The land that I once knew,

                 E7   A
To learn as we grow old the secrets of our soul.

Chorus 3

A   Bmadd11 A/C♯ D   A/C♯
It's not   the   way that you say it

          E7   A
When you do those things to me,

          Bmadd11 A/C♯ D   A/C♯
It's more   the   way you really mean it

          E7   A
When you tell me what will be.

Link 3	**A E/A E D/E C D C B** Ahh,_____ Ahh.__ **C D C B C D C B** Ahh,_____ Ahh.____ **Dadd9/A A Asus4 A Asus4** Ahh._____

‖: **Adim   Dadd9/A** │ **A   Asus4   A   Asus4** :‖

Verse 4	As Verse 1

Verse 5	As Verse 2

Link 4	**C D C B** Ahh,_____ **C D C B** Ahh._____ **Dadd9/A A Asus4 A Asus4** Ahh,_____

‖: **Adim   Dadd9/A** │ **A   Asus4   A   Asus4** :‖   *Repeat to fade*

Roxanne

Words & Music by Sting

Intro

| Gm | Gm ‖ Gm | F6 |

| E♭maj7 | Dm | Cm | Fsus4 | Gsus4 | N.C.

Verse 1

     Gm F6   E♭maj7   Dm
Roxanne,   you don't have to put on the red light,

Cm   Fsus4
Those days are over,

              Gsus4 N.C.
You don't have to sell your body to the night.

     Gm F6   E♭maj7   Dm
Roxanne,   you don't have to wear that dress tonight,

Cm   Fsus4
  Walk the streets for money,

           Gsus4 N.C.
You don't care if it's wrong or if it's right.

    Cm   Fsus4   Gsus4
Roxanne,   you don't have to put on the red light,

    Cm   Fsus4   Gsus4 N.C.
Roxanne,   you don't have to put on the red light.

Chorus 1

Cm B♭
Roxanne, (put on the red light),

E♭ F
Roxanne, (put on the red light),

F   Gm
Roxanne, (put on the red light),

Cm B♭
Roxanne, (put on the red light),

E♭ F | Gsus4 N.C. | N.C.   ‖
Roxanne, (put on the red light), oh.

Link | Gm | Gm | Gm | Gm ‖

Verse 2

Gm   F6
I loved you since I knew ya,

 E♭maj7   Dm
I wouldn't talk down to ya,

Cm   Fsus4
I have to tell you just how I feel,

   Gsus4 N.C.
I won't share you with another boy.

Gm   F6
I know my mind is made up,

 E♭maj7   Dm
So put away your make up,

Cm   Fsus4
 Told you once, I won't tell you again,

   Gsus4 N.C.
It's a bad way.

 Cm Fsus4   Gsus4
Roxanne, you don't have to put on the red light,

 Cm Fsus4   Gsus4
Roxanne, you don't have to put on the red light.

Chorus 2

 Cm B♭
‖: Roxanne, (put on the red light),

E♭ F
Roxanne, (put on the red light),

F Gm
Roxanne, (put on the red light),

Cm B♭
Roxanne, (put on the red light). :‖ *Repeat to fade*

Rock Your Baby

Words & Music by Harry Casey & Richard Finch

Intro

| | Drums || E♭ | ||

| A♭ | A♭ | E♭ | E♭ |

| A♭ | A♭ | E♭ | E♭ |
(Sexy)
| A♭ | A♭ | E♭ | E♭ ||

Chorus 1

A♭   E♭
Woman, take me in your arms, rock your baby.
A♭   E♭
Woman, take me in your arms, rock your baby.

Verse 1

Cm7   F
There's nothing to it just say you wanna do it,
A♭   B♭   B♭6   B♭7
Open up your heart   and let the loving start.

Chorus 2

A♭   E♭
Woman, take me in your arms, rock your baby.
A♭   E♭
Woman, take me in your arms, rock your baby.

Verse 2

Cm   F
Yeah, hold me tight   with all your might,
A♭   B♭   B♭6   B♭7
   Now let your loving flow   real sweet and slow.

Chorus 3

A♭   E♭
Woman, take me in your arms, rock your baby.
A♭   E♭   (Cm)
Woman, take me in your arms, rock your baby. Come on.

Interlude

| Cm | Cm | F | F | |
| (on.) | | | | |

| A♭ | A♭ | B♭ B♭6 | B♭7 | ‖ |
| | | | Ah___ | |

Chorus 4

   A♭   E♭
Woman, take me in your arms, rock your baby.

                 A♭   E♭
Ooh. ooh, ooh, woman, take me in your arms, rock your baby.

Outro

   A♭
Ah ah,_____

E♭
Take me in your arms and rock me.

   A♭
Ah ah,_____

E♭
Take me in your arms and rock me.

   A♭   E♭
Ah ah._____   *To fade*

Rose Garden

Words & Music by Joe South

Am   **D**   **G**   **C**   **Caug**   **Bdim**   **E**

Intro | Am | D | G | D ||

Chorus 1

Am
I beg your pardon,
D   **G**
  I never promised you a rose garden.
            Am
Along with the sunshine,
D   **G**
  There's got to be a little rain sometime.
         C
When you take you got to give,
      Caug
So live and let live,
      Am
Or let go, oh, oh, oh.
        D
I beg your pardon,
                        G
I never promised you a rose garden.

Verse 1

       G
I could promise you things,

Like big diamond rings,

But you don't find roses,
            Am
Growing on stalks of clover,
         D
So you better think it over.

Verse 2	**G** When it's sweet talking,
	You could make it come true,
	I would give you the world right now,
	Am On a silver platter,
	D But what would it matter?
Middle 1	**Am** **D** So smile for a while and let's be jolly, **Bdim** **E** Love shouldn't be so melancholy, **Am** Come along and share the good times while we can. __ **C** **D**
Chorus 2	As Chorus 1
Verse 3	**G** I could sing you a tune,
	And promise you the moon,
	But if that's what it takes to hold you,
	Am I'd just as soon let you go,
	D But there's one thing I want you to know.
Verse 4	**G** You better look before you leap,
	Still waters run deep,
	And there won't always be,
	Am Someone there to pull you out,
	D And you know what I'm talking about.
Middle 2	As Middle 1
Chorus 3	‖: As Chorus 1 :‖ *Repeat to fade*

Rivers Of Babylon

Words & Music by Brent Dowe, James McNaughton, Frank Farian & George Reyam

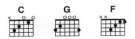

Intro
(Ah ah ah ah, ah ah ah ah,
     G   **C**
Ah ah ah ah, ah ah ah ah.)

Chorus 1
‖: By the rivers of Babylon there we sat down,
    G   **C**
Yeah we wept, when we remembered Zion. :‖

Verse 1
‖: For the wicked carried us away in captivity,
F   **C**
Require from us a song.

Now how shall we sing the Lord's song,
G   **C**
In a strange land? :‖

Instrumental As Intro

Verse 2
‖: Let the words of our mouths,
      C   **G**
And the meditation of our hearts,
  C   **G**
Be acceptable in Thy sight,
  C
Here tonight. :‖

Chorus 2
‖: By the rivers of Babylon there we sat down,
    G   **C**
Yeah we wept, when we remembered Zion. :‖ *Repeat to fade*

Saturday Night's Alright For Fighting

Words & Music by Elton John & Bernie Taupin

D   C   G   F   Dm7   B♭   fr3   E♭

Intro   ‖: D | D | C | G   :‖

Verse 1
       G
It's getting late, I haven't seen my mates,
    F
Ma, tell me when the boys get here.
    C
It's seven o'clock and I wanna rock,
       G
Wanna get a belly full of beer.

My old man is drunker than a barrel full of monkeys,
    F
And my old lady she don't care,
    C
My sister looks cute in her braces and boots,
   G   **Dm7**
A handful of grease in her hair.

Chorus 1
   C
     Don't give us none of your aggravation,
       B♭
We've had it with your discipline.
     F
Oh! Saturday night's all right for fighting,
 C
Get a little action in.

Get about as oiled as a diesel train,
 B♭
Gonna set this dance alight.

| | **F** |
| *cont.* | Yeah, Saturday night's the night I like, |

C   **G**   **E♭**   **Dm⁷**
Saturday night's all right, all right, all right. Ooh. _____

| C | | C | ‖

Link 1 | G | | G   Dm⁷ F | G | | G   Dm⁷ F ‖

Verse 2

G
Well we're packed pretty tight in here tonight,

F
I'm looking for a gal who can see me right.

C
I can use a little muscle to get what I need,

G
I can sink a little drink and shout out, "She's with me."

A couple of the sounds that I really like,

F
Are the sounds of a switchblade and a motorbike.

C
I'm a juvenile product of the working-class,

G   **Dm⁷**
Whose best friend floats in the bottom of a glass. Oh. _____

Chorus 2

C
   Don't give us none of your aggravation,

B♭
We've had it with your discipline.

F
Saturday night's all right for fighting,

C
Get a little action in.

Get about as oiled as a diesel train,

B♭
Gonna set this dance alight.

F
Yeah, Saturday night's the night I like,

C   **G**   **E♭**   **Dm⁷**
Saturday night's all right, all right, all right. Ooh. _____

| C | | C | ‖

Instrumental   ‖: C | C | B♭ | B♭ |

| F | F | C | C :‖ Dm7 | Dm7 ‖

Chorus 3

C
Don't give us none of your aggravation,
B♭
We've had it with your discipline.
F
Oh! Saturday night's all right for fighting,
C
Get a little action in.

Get about as oiled as a diesel train,
B♭
Gonna set this dance alight.
F
'Cause Saturday night's the night I like,
C   G   E♭   Dm7
Saturday night's all right, all right, all right. Ooh. _____

| C | C ‖

_____

Link 2 | C | C | B♭ | B♭ | F | F | C | C ‖

Coda

C
‖: Saturday, Saturday, Saturday,
B♭
Saturday, Saturday, Saturday,
F   C
Saturday, Saturday, Saturday night's all right. :‖ *Play 3 times*

Instrumental   ‖: C | C | B♭ | B♭ | F | F | C | C :‖

Repeat to fade

153

Sound And Vision

Words & Music by David Bowie

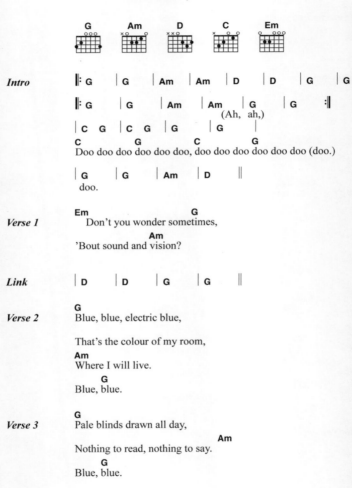

Intro

‖: G | G | Am | Am | D | D | G | G

‖: G | G | Am | Am | G | G :‖
                         (Ah, ah,)

| C G | C G | G | G |

C   **G**   **C**   **G**
Doo doo doo doo doo doo, doo doo doo doo doo doo (doo.)

| G | G | Am | D ‖
doo.

Verse 1

    Em   **G**
   Don't you wonder sometimes,

              Am
'Bout sound and vision?

Link

| D | D | G | G ‖

Verse 2

G
Blue, blue, electric blue,

That's the colour of my room,
Am
Where I will live.
     G
Blue, blue.

Verse 3

G
Pale blinds drawn all day,

                          Am
Nothing to read, nothing to say.
     G
Blue, blue.

Chorus

   C   G
I will sit right down,

   C   G
Waiting for the gift of sound and vision.

         C   G
And I will sing,

   C   G
Waiting for the gift of sound and vision.

Verse 4

           Am
Drifting into my solitude,

 D   Em
   Over my head.

               G
Don't you wonder sometimes,

            Am
'Bout sound and vision?

Coda

| D | D | G | G | G |

To fade

155

Show Me The Way

Words & Music by Peter Frampton

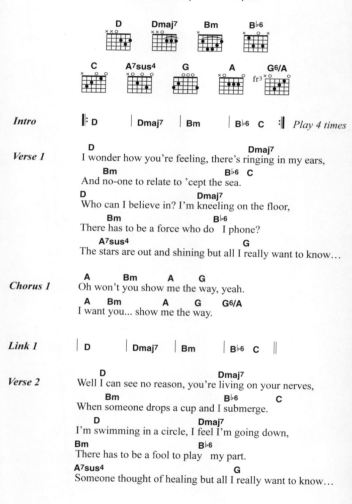

Intro

‖: D | Dmaj7 | Bm | B♭6 C :‖ *Play 4 times*

Verse 1

    D   Dmaj7
I wonder how you're feeling, there's ringing in my ears,
    Bm   B♭6 C
And no-one to relate to 'cept the sea.
D   Dmaj7
Who can I believe in? I'm kneeling on the floor,
    Bm   B♭6
There has to be a force who do I phone?
      A7sus4   G
The stars are out and shining but all I really want to know…

Chorus 1

    A   Bm   A   G
Oh won't you show me the way, yeah.
    A   Bm   A   G   G6/A
I want you... show me the way.

Link 1

| D | Dmaj7 | Bm | B♭6 C ‖

Verse 2

      D   Dmaj7
Well I can see no reason, you're living on your nerves,
      Bm   B♭6   C
When someone drops a cup and I submerge.
      D   Dmaj7
I'm swimming in a circle, I feel I'm going down,
Bm   B♭6
There has to be a fool to play my part.
A7sus4   G
Someone thought of healing but all I really want to know…

Chorus 2

    A   **Bm**   **A**   **G**
Oh won't you show me the way,

    A   **Bm**   **A**   **G**
I want you... show me the way.

    A   **Bm** **A**   **G**   **G6/A**
I want you day after day.

Guitar solo | **D** | **D** | **Dmaj7** | **Dmaj7** | **Bm** | **Bm** | **B♭6** | **B♭6** **C** |

        | **D** | **D** | **Dmaj7** | **Dmaj7** | **Bm** | **Bm** | **G** | **G** ||

Verse 3

       D   **Dmaj7**
Yeah, I wonder if I'm dreaming, I feel so unashamed,

    Bm   **B♭6**
I can't believe this is happening to me.

     A7sus4
I watch you when you're sleeping,

          G
And then I want to take your love.

Chorus 3

‖:   **A**   **Bm**   **A**   **G**
Oh won't you show me the way, everyday.

    A   **Bm**   **A**   **G**
I want you.. show me the way,

    A   **Bm**   **G**
I want you day after day.

    A   **Bm**   **G**   **G6/A**
I want you day after day.   :‖ *To fade*

The Seeker

Words & Music by Pete Townshend

A   Dsus⁴   D   Csus⁴   C   G   E

Intro | A   Dsus⁴ D | A   Dsus⁴ D | Csus⁴   C | G

| A   Dsus⁴ D | A   Dsus⁴ D ‖

Verse 1

A   Dsus⁴ D
I've looked under chairs,

A   Dsus⁴ D
I've looked under tables.

   A   Dsus⁴ D
I've tried to find the key,

   A
To fifty million fables.

Chorus 1

     C   D   Csus⁴ C
They call me the Seeker,

D   A   Dsus⁴ D | A |
I've been searching low and high. _____

Csus⁴ C
     I won't get to get what I'm after,

G   A   Dsus⁴ D | A   Dsus⁴ D ‖
Till the day I die.

Verse 2

A   Dsus⁴ D
I asked Bobby Dylan,

A   Dsus⁴ D
I asked the Beatles,

   A   Dsus⁴ D
I asked Timothy Leary,

     A
But he couldn't help me either.

Chorus 2   As Chorus 1

Bridge 1

D   **Dsus4**
People tend to hate me,

D   **Dsus4**
'Cause I never smile.

       A
As I ransack their homes,

They want to shake my hand.

D   **Dsus4**
Focusing on nowhere,

D   **Dsus4**
Investigating miles,

      E
I'm a Seeker,

I'm a really desperate man.

Solo

| A | A | A | A |
| D | D | A | A ‖

Chorus 3

Csus4 **C**
        I won't get to get what I'm after,

G   **A**   **Dsus4 D** | **A**   **Dsus4 D** ‖
Till the day I die.

Bridge 2

D   **Dsus4**   **D**   **Dsus4**
I've learned how to raise my voice in anger.

          A
Yeah, but look at my face,

Ain't this a smile?

     D   **Dsus4**
I'm happy when life's good,

     D   **Dsus4**
And when it's bad I cry.

     E
I've got values but I don't know how or why.

Verse 3

    A   Dsus⁴ D
I'm looking for me,

    A   Dsus⁴ D
You're looking for you,

       A
We're looking at each other,

Dsus⁴ D   A
And   we don't know what to do.

Chorus 4

       C   D   Csus⁴ C
They call me the Seeker,

    D   A   Dsus⁴ D | A |
I've been searching low and high. _____

Csus⁴ C
      I won't get to get what I'm after,

G   A   Dsus⁴ D | A   Dsus⁴ D ‖
Till the day I die.

Csus⁴ C
      I won't get to get what I'm after,

G   A   Dsus⁴ D | Csus⁴ C   G | A   ‖
Till the day I die.

Sultans Of Swing

Words & Music by Mark Knopfler

Dm   C   B♭   A   F

Intro   ‖: Dm | Dm | Dm | Dm :‖

Verse 1
                Dm
You get a shiver in the dark
     C   **B♭**   **A**
It's raining in the park but meantime
Dm   **C**   **B♭**   **A**
  South of the river you stop and you hold everything
F   **C**
  A band is blowing Dixie double four time
B♭   **Dm**   **B♭** **C**
  You feel alright when you hear that music ring

Verse 2
             Dm   **C**   **B♭**
You step inside but you don't see too many faces
Dm   **C**   **B♭**   **A**
  Coming in out of the rain to hear the jazz go down
F   **C**
  Competition in other places
B♭   **Dm**   **B♭**
  But the horns they're blowing that sound
C   **B♭** **C**   **Dm**   **C B♭ C**
  Way on downsouth   way on downsouth London town.

Link 1 | Dm C | B♭ | C | C ‖

Verse 3
             Dm   **C B♭**   **A**
You check out Guitar George   he knows all the chords
Dm   **C**
  Mind he's strictly rhythm he doesn't want to make it cry or sing
F   **C**
  And an old guitar is all he can afford
B♭   **Dm**   **B♭** **C**
  When he gets up under the lights to play his thing

Verse 4

```
Dm                    C      Bb           A
    And Harry doesn't mind if he doesn't   make the scene
Dm                    C        Bb          A
    He's got a day-time job he's doing al - right
F                                    C
    He can play the honky-tonk just like anything
Bb                              Dm  Bb  C
    Saving it up for Friday night
              Bb  C                        Dm   C   Bb  C
With the Sultans       with the Sultans of Swing
```

Link 2

```
| Dm  C | Bb      | C      | C      ||
```

Verse 5

```
          Dm                      C          Bb        A
And a crowd of young boys they're fooling a - round in the corner
Dm                          C           Bb              A
    Drunk and dressed in their best brown baggies and their platform so
F                                         C
    They don't give a damn about any trumpet playing band
Bb                          Dm      Bb
    It ain't what they call rock and roll
C                   Bb  C              Dm      C   Bb  C
    And the Sultans     the Sultans played Creole
```

Link 3

```
| Dm  C | Bb      | C      | C      ||
```

Guitar solo 1

```
||: Dm     | C   Bb  | A        | A         :||

|  F       | F       | C        | C         |

|  Bb      | Bb      | Dm       | Dm   Bb   |

|  C       | C   Bb  | C        | C         |

||: Dm  C  | Bb      | C        | C         :||
```

162

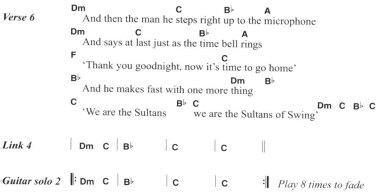

Verse 6

Dm   C   B♭   A
And then the man he steps right up to the microphone

Dm   C   B♭   A
And says at last just as the time bell rings

F   C
'Thank you goodnight, now it's time to go home'

B♭   Dm   B♭
And he makes fast with one more thing

C   B♭ C   Dm C B♭ C
'We are the Sultans   we are the Sultans of Swing'

Link 4 | Dm C | B♭ | C | C   ‖

Guitar solo 2 ‖: Dm C | B♭ | C | C   :‖ *Play 8 times to fade*

Take Me I'm Yours

Words & Music by Chris Difford & Glenn Tilbrook

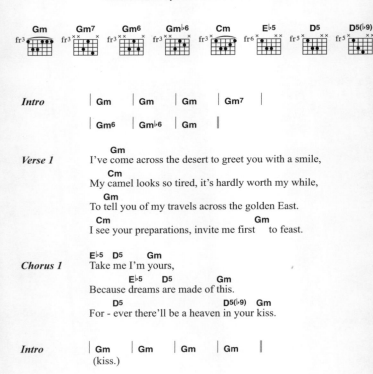

Intro | Gm | Gm | Gm | Gm⁷ |

| Gm⁶ | Gm♭⁶ | Gm ‖

Gm
Verse 1   I've come across the desert to greet you with a smile,
Cm
My camel looks so tired, it's hardly worth my while,
Gm
To tell you of my travels across the golden East.
Cm   **Gm**
I see your preparations, invite me first   to feast.

E♭5   D5   Gm
Chorus 1   Take me I'm yours,
E♭5   D5   Gm
Because dreams are made of this.
D5   **D5(♭9)   Gm**
For - ever there'll be a heaven in your kiss.

Intro | Gm | Gm | Gm | Gm ‖
(kiss.)

Verse 2

        Gm
A - musing belly dancers distract me from my wine,

        Cm
A - cross Tibetian mountains are memories of mine.

         Gm
I've stood some ghostly moments with natives in the hills.

         Cm   **Gm**
Re - corded here on paper my chills and thrills   and spills.

Chorus 2   As Chorus 1

Solo

Gm	Gm	Gm	Gm
Gm	Gm	Gm	Gm
N.C.	N.C.	N.C.	N.C.

Verse 3

 N.C.
It's really been some welcome, you never seem to change.

A grape to tempt your leisure, romantic gestures strange.

       Gm
My eagle flies tomorrow, it's a game I treasure dear,

       Cm   **Gm**
To seek the helpless future, my love at last   I'm here.

Chorus 3   As Chorus 1

Link | Gm | Gm ‖
            (kiss.)

Outro   ‖: Gm | Gm | Gm | Gm :‖ *Repeat to fade*

Teenage Kicks

Words & Music by John O'Neill

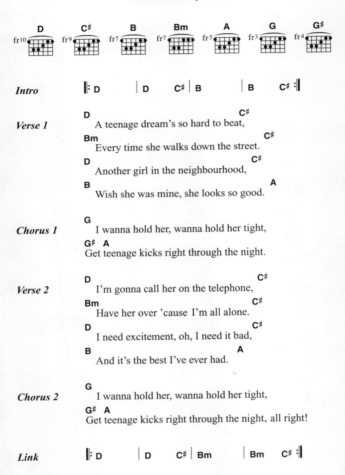

Intro ‖: D | D C♯ | B | B C♯ :‖

Verse 1

D   C♯
   A teenage dream's so hard to beat,
Bm   C♯
   Every time she walks down the street.
D   C♯
   Another girl in the neighbourhood,
B   A
   Wish she was mine, she looks so good.

Chorus 1

G
   I wanna hold her, wanna hold her tight,
G♯ A
Get teenage kicks right through the night.

Verse 2

D   C♯
   I'm gonna call her on the telephone,
Bm   C♯
   Have her over 'cause I'm all alone.
D   C♯
   I need excitement, oh, I need it bad,
B   A
   And it's the best I've ever had.

Chorus 2

G
   I wanna hold her, wanna hold her tight,
G♯ A
Get teenage kicks right through the night, all right!

Link ‖: D | D C♯ | Bm | Bm C♯ :‖

Verse 3

D   C♯
A teenage dream's so hard to beat,

Bm   C♯
Every time she walks down the street.

D   C♯
Another girl in the neighbourhood,

Bm   A
Wish she was mine, she looks so good.

Chorus 3

G
I wanna hold her, wanna hold her tight,

G♯ A
Get teenage kicks right through the night.

Verse 4

D   C♯
I'm gonna call her on the telephone,

Bm   C♯
Have her over 'cos I'm all alone.

D   C♯
I need excitement, oh, I need it bad,

Bm   A
And it's the best I've ever had.

Chorus 4

G
I wanna hold her, wanna hold her tight,

G♯ A
Get teenage kicks right through the night, alright!

Guitar solo

| D | | D | C♯ | Bm | | Bm | C♯ |

| D | | D | C♯ | Bm | | Bm | A ‖

Chorus 5

G
I wanna hold her, wanna hold her tight,

G♯ A
Get teenage kicks right through the night.

Coda

| D   G | A   D | ‖

Theme From 'Shaft'

Words & Music by Isaac Hayes

Intro

Drums
2

| Goct | Goct | Goct ‖

| Goct/Fbass | Goct/Fbass | Goct/Fbass | Goct/Fbass |

| Goct/Ebass | G/Ebass | G/Ebass | G/Ebass ‖

Continue with **Goct** *over progression*

‖: Fmaj7 | Fmaj7 | Fmaj7 | Fmaj7 |

| Em7 | Em7 | Em7 | Em7 :‖

| Fmaj7 | Fmaj7 | Fmaj7 | Fmaj7 | Em7 | $\frac{5}{4}$ Em7 |

‖: $\frac{4}{4}$ G | G | G | G |

| G | G | G ‖

Verse 1

Fmaj7
Who's the black private dick,

Em7
That's a sex machine to all the chicks?

Shaft!

Ya damn right.

| Fmaj7 | Fmaj7 | Em7 | Em7 ‖

Verse 2

Fmaj7
Who is the man that would risk his neck,

Em7
For his brother man?

Shaft!

Can you dig it?

| **Fmaj7** | **Fmaj7** | **Em7** | **Em7** ‖

Verse 3

Fmaj7
Who's the cat that won't cop out,

When there's danger all about?
Em7
Shaft!

Right on.

Verse 4

Fmaj7
They say this cat Shaft is a bad mother-

Shut your mouth!
Em7
I'm talking 'bout Shaft.

Then we can dig it!

Verse 5

Fmaj7
He's a complicated man,

Em7
But no one understands him but his woman.

John Shaft!

Outro

| $\frac{7}{4}$ **G** | **G** ‖

| $\frac{4}{4}$ **Fmaj7** | **Fmaj7** | **Goct** | **Goct** |

| **Fmaj7** | **Fmaj7** | **Em7** | **Em7** | **Fmaj7** ‖

Virginia Plain

Words & Music by Bryan Ferry

Capo fourth fret

Intro ‖: D | D | A | A :‖

Verse 1

D   A
Make me a deal and make it straight,

All signed and sealed, I'll take it,

D
To Robert E. Lee, I'll show it.

A
I hope and pray he don't blow it, 'cause,

G
We've been around a long time,

E   A
Just try to, try to, try to make the big time.

Verse 2

D
Take me on a roller coaster,

A
Take me for an airplane ride.

D
Take me for a six-day wonder, but don't you,

A
Don't you throw my pride aside, besides,

G
What's real and make believe.

E   A
Baby Jane's in Acapulco, we are flying down to Rio.

Guitar solo ‖: D | D | A | A :‖ G | G | E | A

Verse 3

D   **A**
Throw me a line, I'm sinking fast,

Clutching at straws, can't make it.
D
Havana sound, we're trying,
A
Hard edge, the hipster jiving.
G
Last picture show's down the drive-in.
E
You're so sheer, you're so chic,
A
Teenage rebel of the week.

Verse 4

D
Flavours of the mountain steamline,
A
Midnight blue casino floors.
D
Dance the cha-cha through till sunrise.
A
Opens up exclusive doors, oh wow!
G
Just like flamingos look the same,
  E
So me and you, just we two,
A
Got to search for something new.

Instrumental | **A** | **A** | **A** | **D** | **A** |

                       ‖: **D** | **A** | **D** | **A**   :‖ *Play 3 times*

Verse 5

D
Far beyond the pale horizon,
A
Some place near the desert sand.
D
Where my Studebaker takes me,
A
That's where I'll make my stand, but wait,
G
Can't you see that Holzer mane?
E
What's her name? Virginia Plain.

171

2-4-6-8 Motorway

Words & Music by Tom Robinson

Chord diagrams: A, E/G#, E, D/F#, D

Intro
| A | A | A | A ||

||: A | E/G# | D/F# E/G# | A :||

Verse 1

A   E/G#
Drive my truck midway to the motorway station,
D/F#   E
Fair-lane cruiser coming up on the left-hand side.
                                    E/G#
Headlights shining, driving rain on the window frame,
D/F#   E   A
Little young lady stardust hitching a ride.

Chorus 1

        A   E/G#
And it's two-four-six-eight, it's never too late,
D/F#   E/G#   A
Me and my radio trucking on through the night.
                              E/G#
Three-five-seven-nine, on a little white line,
D/F#   E/G#   A
Motorway sun coming up with the morning light.

Verse 2

A   E/G#
Whizz-kid sitting pretty on your two-wheel stallion,
D/F#   E   A
This old ten-ton lorry got a bead on you.
                                    E/G#
Ain't no use setting off with a bad companion,
D/F#   E   A
Ain't nobody got the better of you know who.

Chorus 2   As Chorus 1

Guitar solo ‖: A | E/G♯ | D/F♯ E | A :‖

Verse 3

               A   E/G♯
Well, there ain't no route you can choose to lose the two of us,

        D/F♯   E   A
Ain't nobody know when you're acting right or wrong.

                          E/G♯
No-one knows if a roadway's leading nowhere,

        D/F♯   E   A
Gonna keep on driving on the road I'm on.

Chorus 3

            A   E/G♯
‖: And it's two-four-six-eight, it's never too late,

D/F♯   E/G♯   A
Me and my radio trucking on through the night.

                    E/G♯
Three-five-seven-nine, on a little white line,

D/F♯   E/G♯   A
Motorway sun coming up with the morning light. :‖

Link 1

                  E   A
Motorway sun coming up with the morning light,

                            E   D
That same old motorway sun coming up with the morning light.

Guitar solo ‖: A | E/G♯ | D/F♯ E | A :‖

Outro

            A   E/G♯
‖: And it's two-four-six-eight, it's never too late,

D/F♯   E/G♯   A
Me and my radio trucking on through the night.

                    E/G♯
Three-five-seven-nine, on a little white line,

D/F♯   E/G♯   A
Motorway sun coming up with the morning light. :‖ *Repeat to fade*

Video Killed The Radio Star

Words & Music by Geoffrey Downes, Trevor Horn & Bruce Woolley

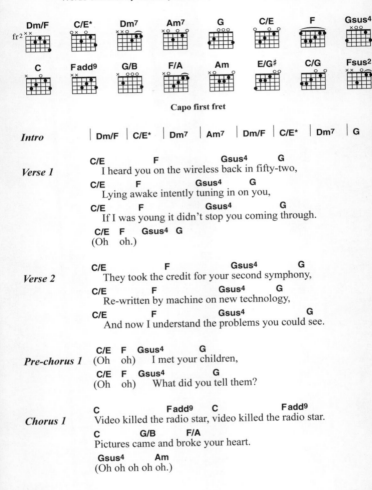

Capo first fret

Intro | Dm/F | C/E* | Dm⁷ | Am⁷ | Dm/F | C/E* | Dm⁷ | G ‖

Verse 1

C/E   F   Gsus⁴   G
    I heard you on the wireless back in fifty-two,

C/E   F   Gsus⁴   G
    Lying awake intently tuning in on you,

C/E   F   Gsus⁴   G
    If I was young it didn't stop you coming through.

 C/E F   Gsus⁴ G
(Oh   oh.)

Verse 2

C/E   F   Gsus⁴   G
    They took the credit for your second symphony,

C/E   F   Gsus⁴   G
    Re-written by machine on new technology,

C/E   F   Gsus⁴   G
    And now I understand the problems you could see.

Pre-chorus 1

 C/E F Gsus⁴   G
(Oh   oh)   I met your children,

 C/E F Gsus⁴   G
(Oh   oh)   What did you tell them?

Chorus 1

C   Fadd⁹   C   Fadd⁹
Video killed the radio star, video killed the radio star.

C   G/B   F/A
Pictures came and broke your heart.

 Gsus⁴   Am
(Oh oh oh oh oh.)

Verse 3

    C/E   F   Gsus4   G
And now we meet in an abandoned studio,

    C/E   F   Gsus4   G
We hear the playback and it seems so long ago,

    C/E   F   Gsus4   G
And you remember the jingles used to go:

Pre-chorus 2

    C/E F Gsus4   G
(Oh   oh)   You were the first one,

    C/E F Gsus4   G
(Oh   oh)   You were the last one.

Chorus 2

    C   Fadd9   C   Fadd9
Video killed the radio star, video killed the radio star.

    C   G/B   F/A
In my mind and in my car,

        C   G/B   F/A
We can't rewind, we've gone too far.

    Gsus4   Am
(Oh oh oh oh oh.)

    Gsus4   Am
(Oh oh oh oh oh.)

Instrumental

‖: F   G | C/E F :‖ F   G | E/G♯ Am |

| Dm/F | C/G | Dm7 | G   Am | F Am F G ‖

Chorus 3

    C   Fadd9   C   Fadd9
Video killed the radio star, video killed the radio star.

    C   G/B   F/A
In my mind and in my car,

        C   G/B   F/A
We can't rewind, we've gone too far.

    C   G/B   F/A
Pictures came and broke your heart,

    C/G   G   Fsus2
Put the blame on VCR.

Coda

‖:   C/E F Gsus4 G   C/E   F Gsus4 G
You are _____ the radio star. _____ :‖

‖:   C   Fadd9
Video killed the radio star. :‖ *Play 4 times*

{ ‖:   C   Fadd9   C   Fadd9
{   Video killed the radio star. Video killed the radio star. :‖
{   You are _____ a radio star. _____
                                               To fade

White Riot

Words & Music by Joe Strummer, Mick Jones, Paul Simonon & Topper Headon

A   D5   E   G   C

Intro

‖: A   D5 | A   D5 | A   D5 | D5   A   :‖

‖: E | E | E | E   :‖

Chorus 1

A   D5   A   D5
White riot,   I wanna riot,
A   D5   A
White riot, a riot of my own.
A   D5   A   D5
White riot,   I wanna riot,
A   D5   A
White riot, a riot of my own.

Verse 1

G
Black people gotta lotta problems,
        C   G
But they don't mind throwing a brick,

White people go to school,
                C   G
Where they teach you how to be thick.
        C
And everybody's doing,
        A
Just what they're told to,
        C
And nobody wants,
        E
To go to jail!

Chorus 2   As Chorus 1

Verse 2

G
All the power's in the hands,

    C   G
Of people rich enough to buy it,

While we walk the street,

    C   G
Too chicken to even try it.

C
Everybody's doing,

     Am
Just what they're told to,

C
Nobody wants,

    E
To go to jail!

Instrumental | A N.C. | A N.C. | A N.C. | D5 A |

                         | A D5 | A D5 | A D5 | D5 A |

Chorus 3   As Chorus 1

                ||: E | E | E | E   :||

Chorus 4   As Chorus 1

Tumbling Dice

Words & Music by Mick Jagger & Keith Richards

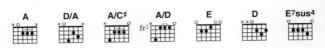

Capo second Fret

Intro | A D/A A D/A A A | A D/A A   D/A A A | A D/A A D/A A A | A   D/A A   D/A
   Wo yeah! (Woo,_____)

Verse 1
A   D/A   A
Women think I'm tasty,

D/A A   A   D/A
but   they're always trying to waste me,

      A   D/A   A   D/A A   D/A A/C♯ A/D
And make me burn the candle right down.

      E   A   E   A
But ba - by, ba - by,

      D   E
I don't need no jewels in my crown.

Verse 2
        A D/A A   D/A A D/A A   D/A
'Cause all you women is   low-down gamblers,

A   D/A A   D/A A D/A A
Cheating like I don't know   how.

      E   A E   A
But ba - by, ba - by,

        D   E
There's fever in the funk house now.

       A D/A   A D/A A   D/A A   D/A
This low down bitching got   my poor feet a-itching,

A   D/A   A   D/A A   D/A A/C♯ A/D
Don't you know the duece is still wild.

Chorus 1
      E   A   E   A   D
Ba - by, I can't stay, you got to roll____ me,

      (A/C♯)   (E7sus4) A   D/A A A D/A A D/A A A D/A
And call me the tumbling dice.

Verse 3

```
A        D/A A   D/A A       D/A    A     D/A
Always in a hurry,      I never stop to worry,
A        D/A    A       D/A  A D/A  A
Don't you see the time flashing    by?
E    A              E    A
Ho - ney, got no mo - ney,
          D                        E
I'm all sixes and sevens and nines.
A  D/A A    D/A A          D/A A    D/A
Say now baby, I'm the rank out  -  sider,
A        D/A     A       D/A A
You can be my partner in    crime.
```

Chorus 2

```
       E   A   E    A                 D
But ba - by, I can't stay, you got to roll____ me,
        (A/C♯)      (E7sus4)
And call me the tumbling,
D              (A/C♯)       (E7sus4) A
Roll___ me and call me the tumbling dice.
```

Instrumental

```
                    x6
‖: A D/A A D/A A :‖ E   A   │E   A   │D        │E              │
```

Verse 4

```
         A      D/A  A   D/A A        D/A A      D/A
Oh, my, my,   my,  I'm the  lone crap       shooter,
A        D/A    A    D/A A
Playing the field   every    night.
```

Chorus 3

```
       E   A   E    A
But ba - by, I can't stay, you got to,
D               (A/C♯)       (E7sus4)
Roll___ me and call me the tumbling dice,
D               (A/C♯)       (E7sus4)
Roll___ me, (call me the tumbling)
        D           A     E
Got to roll me,
        D           A     E
Got to roll me,
        D           A     E
Got to roll me,
        D           A     E
Got to roll me,
        D           A     E
Got to roll me,
```

    D   **A**   **E**
Got to roll me, (keep on rolling)

    D   **A**   **E**
Got to roll me, (keep on rolling)

    D   **A**   **E**
Got to roll me, (keep on rolling)

    D   **A**   **E**
Got to roll me, my baby call me the tumbling dice, yeah,

    D   **A**   **E**
Got to roll me,

    D   **A**   **E**
Got to roll me, baby sweet as sugar,

    D   **A**   **E**
Got to roll me, yeah, my, my, my, yeah,

    D   **A**   **E**
Got to roll me, oh,

    D
Got to roll me, (hit me) baby I'm down.   *(To fade)*

Year Of The Cat

Words & Music by Al Stewart & Peter Wood

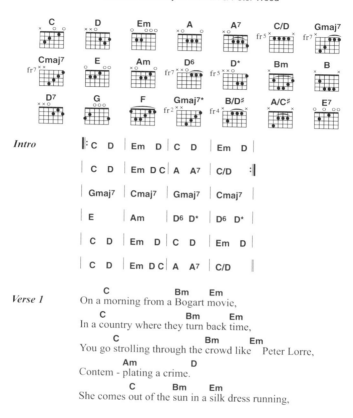

Intro

‖: C D | Em D | C D | Em D |

| C D | Em D C | A A7 | C/D :‖

| Gmaj7 | Cmaj7 | Gmaj7 | Cmaj7 |

| E | Am | D6 D* | D6 D* |

| C D | Em D | C D | Em D |

| C D | Em D C | A A7 | C/D ‖

Verse 1

        C   Bm   Em
On a morning from a Bogart movie,

        C   Bm   Em
In a country where they turn back time,

          C   Bm   Em
You go strolling through the crowd like   Peter Lorre,

        Am   D
Contem - plating a crime.

         C   Bm   Em
She comes out of the sun in a silk dress running,

      B   C
Like a watercolour in the rain,

            Bm   Em
Don't bother asking for   explanations,

         Am   D
She'll just tell you that she came,

In the year of the
    C D │ Em D │ C D │ Em D │ C D │ Em D C │Am   │ C/D │
Cat.

Verse 2

    C   Bm   Em
She doesn't give you time for questions,

    C   Bm   Em
As she locks up your arm in hers,

        C   Bm   Em
And you follow till your sense of which direction,

     Am   D
Comp - letely disappears.

    C   Bm   Em
By the blue tiled walls near the market stalls,

     B   C
There's a hidden door she leads you to.

     B   Em
These days, she says, I feel my life,

      Am   D
Just like a river running through,

The year of the
    C D │ Em D │ C D │ Em D │ C D │ Em D C │ Am │ D7 │
Cat.

Bridge

    B   C
While she looks at you so cooly,

       G   D
And her eyes shine like the moon in the sea,

     B   C
She comes in incense and patchouli,

      G   F   Em   D
So you take her, to find what's waiting in - side,

The year of the
    C D │ Em D │ C D │ Em D │ C D │ Em D C │ Am │ D7 │
Cat.

Instr. solos

C D	Em D	C D	Em D
C D	Em	Am	D7
Gmaj7	Cmaj7	Gmaj7	Cmaj7
E	Am	D	D
D	Gmaj7*	D	Gmaj7*
Bm	B/D♯	Em	A/C♯	A/C♯ ‖

(Saxophone)

| C D | Em D | C D | Em D |
| C D | Em | Am | D7 ‖

Verse 3

     C   Bm   Em
Well morning comes and you're still with her,

     C   Bm   Em
And the bus and the tourists are gone,

     C   Bm   Em
And you've thrown away your choice and lost your ticket,

    Am   D7
So you have to stay on.

    C   Bm   Em
But the drum-beat strains of the night remain,

   B
In the rhythm of the new-born day,

C   B   Em
   You know some - time you're bound to leave her,

    Am   D7
But for now you're going to stay,

        C D | Em D | C D | Em D | C D | Em | Am | D7 |
In the year of the cat.

        C D | Em D | C D | Em D | C D | Em | Am | D7 ‖
In the year of the cat.

Outro

(Saxophone solo)

| Gmaj7 | Cmaj7 | Gmaj7 | Cmaj7 |
| E | Am | D | D ‖
‖: C D | Em D | C D | Em D |
| C D | Em | Am | D7 :‖ *Repeat to fade*

You Can Get It If You Really Want

Words & Music by Jimmy Cliff

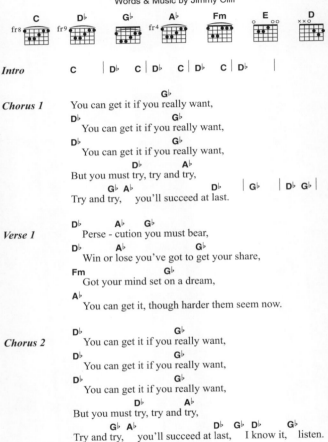

| C | Db | Gb | Ab | Fm | E | D |
| fr8 | fr9 | Gb | fr4 | Fm | E | D |

Intro   C | Db   C | Db   C | Db   C | Db |

Chorus 1
                    Gb
You can get it if you really want,
Db   **Gb**
  You can get it if you really want,
Db   **Gb**
  You can get it if you really want,
         Db   **Ab**
But you must try, try and try,
Gb Ab   **Db** | **Gb** | **Db Gb** |
Try and try,   you'll succeed at last.

Verse 1
  Db   **Ab**   **Gb**
  Perse - cution you must bear,
Db   **Ab**   **Gb**
  Win or lose you've got to get your share,
Fm   **Gb**
  Got your mind set on a dream,
Ab
  You can get it, though harder them seem now.

Chorus 2
  Db   **Gb**
  You can get it if you really want,
Db   **Gb**
  You can get it if you really want,
Db   **Gb**
  You can get it if you really want,
         Db   **Ab**
But you must try, try and try,
     Gb Ab   **Db** **Gb Db**   **Gb**
Try and try,   you'll succeed at last, I know it, listen.

Verse 2

  D♭   A♭   G♭
  Rome was not built in a day,

  D♭   A♭   G♭
  Oppo - sition will come your way,

  Fm   G♭
  But the hotter the battle you see,

  A♭
  It's the sweeter the victory, now.

Chorus 3

  D♭   G♭
  You can get it if you really want,

  D♭   G♭
  You can get it if you really want,

  D♭   G♭
  You can get it if you really want,

              D♭   A♭
But you must try, try and try,

         G♭ A♭   (D♭)
Try and try,   you'll succeed at last.

‖: D♭ | E | G♭ | A♭ G♭ E D :‖
(last)

Chorus 4

  D♭   G♭
  You can get it if you really want,

  D♭   G♭
  You can get it if you really want,

  D♭   G♭
  You can get it if you really want,

              D♭   A♭
But you must try, try and try,

         G♭ A♭   D♭ G♭ D♭
Try and try,   you'll succeed at last, I know it.

Outro

‖: G♭   D♭
  Don't I show it,

 G♭   D♭
  So don't give up now. :‖ *Repeat to fade*

You Wear It Well

Words & Music by Rod Stewart & Martin Quittenton

[Chord diagrams: D, Em7, D/F#, G, A]

Intro

$\frac{6}{4}$ ‖: D |

$\frac{4}{4}$ | Em7 | Em7 |

$\frac{6}{4}$ | Em7 D/F# G |

$\frac{4}{4}$ | A | A :‖

Verse 1

        G
I had nothing to do on this hot afternoon,
    A   D
But to settle down and write you a line.
        G
I've been meaning to phone you, but from Minnesota,
A   D
Hell, it's been a very long time.

Chorus 1

          A
You wear it well,
     Em   D/F#   G   A
A little old fashioned but that's all right.

Verse 2

        G
Well I sup - pose you're thinking I bet he's sinking,
    A   D
Or he wouldn't get in touch with me.
    G
Oh I ain't begging or losing my head,
A   D
I sure do want you to know,

Chorus 2
                                A
That you wear it well,
Em   **D/F♯**   **G**   **A**
There ain't a lady in the land so fine, oh my.

Verse 3
                              G
Remember them basement parties, your brother's karate,
      A   **D**
The all day rock and roll shows.
      G
Them homesick blues and radical views,
A   **D**
Haven't left a mark on you.

Chorus 3
                     A
You wear it well,
   Em   **D/F♯**   **G**   **A**
A little out of time but I don't mind.

Bridge 1
                       G   **D**
But I ain't for - getting that you were once mine,
             G   **D**
But I blew it without even trying.
            G
Now I'm eating my heart out,
A   **D** | **D** ‖
Trying to get a letter through.

Solo $\frac{4}{4}$| **A** | **A** |

            $\frac{6}{4}$| **Em7 D/F♯** **G** |

            $\frac{4}{4}$| **A** | **A**   ‖

            $\frac{4}{4}$| **A** | **A** |

            $\frac{6}{4}$| **Em7**   **D/F♯**   **G** |$\frac{4}{4}$ **A** | **A** ‖
               Since you've been gone, it's hard to carry   on.

Verse 4

                                                G
I'm gonna write about the birthday gown that I bought in town,

            A   D
When you sat down and cried on the stairs.

                          G
You knew it did not cost the earth, but for what it's worth,

    A   D
You made me feel a million - naire,

Chorus 4

                    A
And you wear it well,

Em   D/F♯   G   A
Madame On - assis got nothing on you, no, no.

Verse 5

                    G
Anyway, my coffee's cold and I'm getting told,

           A   D
That I gotta get back to work.

                    G
So when the sun goes low and you're home all alone,

A   D
Think of me and try not to laugh,

Chorus 5

                  A
And I wear it well,

Em   D/F♯   G   A
I don't ob - ject if you call col - lect.

Bridge 2

                    G   D
'Cause I ain't for - getting that you were once mine,

          G   D
But I blew it without even trying.

                G
Now I'm eating my heart out,

A
Trying to get back to you.

Outro

$\frac{6}{4}$ ‖: D |

$\frac{4}{4}$ | Em7 | Em7 |

$\frac{6}{4}$ | Em7 D/F♯ G |

$\frac{4}{4}$ | A | A ‖

$\frac{4}{4}$ | Em7 | Em7 |

I love you, I love you, I love you, I love you,

$\frac{6}{4}$ | Em7 D/F♯ G |

$\frac{4}{4}$ | A | A ‖

Oh yeah.

$\frac{6}{4}$ | D |

$\frac{4}{4}$ | Em7 | Em7 |

$\frac{6}{4}$ | Em7 D/F♯ G |

$\frac{4}{4}$ | A | A ‖

$\frac{6}{4}$ | D | $\frac{4}{4}$ Em7 | Em7 ‖

After all the years I hope it's the same ad - dress,

$\frac{6}{4}$ | Em7 D/F♯ G |

$\frac{4}{4}$ | A | A ‖

$\frac{6}{4}$ | D | $\frac{4}{4}$ Em7 | Em7 ‖

Since you've been gone, it's hard to carry on.

$\frac{6}{4}$ | Em7 D/F♯ G |

$\frac{4}{4}$ | A | A :‖ *Repeat to fade*

You Took The Words Right Out Of My Mouth

Words & Music by Jim Steinman

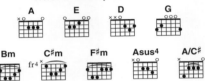

A E D G

Bm C#m F#m Asus4 A/C#

fr4

Spoken:

Boy:	On a hot summer night,
	would you offer your throat to the wolf with the red roses?
Girl:	Will he offer me his mouth?
Boy:	Yes.
Girl:	Will he offer me his teeth?
Boy:	Yes.
Girl:	Will he offer me his jaws?
Boy:	Yes.
Girl:	Will he offer me his hunger?
Boy:	Yes.
Girl:	Again, will he offer me his hunger?
Boy:	Yes!
Girl:	And will he starve without me?
Boy:	Yes!
Girl:	And does he love me?
Boy:	Yes.
Girl:	Yes.
Boy:	On a hot summer night,
	would you offer your throat to the wolf with the red roses?
Girl:	Yes.
Boy:	I bet you say that to all the boys!

Intro ‖: A   E D | D | E   :‖

Verse 1

```
            A                    E        D
It was a hot summer night and the beach was burning,
E          A              E     D
There was fog crawling over the sand.
E       A                 E      D
When I listen to your heart I hear the whole world turning,
   G                          Bm      C♯m D   E   A
I see the shooting stars falling through your  trembling hands.
```

Verse 2

```
            A              E       D
You were licking your lips and your lipstick shining,
      A                 E  D
I was dying just to ask for a  taste.
         A           E     D
We were lying together in a silver lining,
         G
By the light of the moon.
               Bm    C♯m  D   E
You know there's not another moment,
Bm    C♯m  D   E    Bm    C♯m  D   E       A
Not another moment, not another moment to waste.
```

Pre-chorus 1

```
         Bm          F♯m         G        A
Well, you hold me so close that my knees grow weak,
         Bm              D       A
But my soul is flying high above the ground.
      Bm      F♯m     G       A
I'm trying to speak but no matter what I do,
    F♯m           Bm        E
I just can't seem to make any sound.
```

Chorus 1

```
                   D                          Asus⁴  A
‖: And then you took the words right out of my mouth.
      G                         A
Oh it must have been while you were kissing me.
      D                         Asus⁴  A
You took the words right out of my mouth.
         Bm    C♯m  D
Oh and I swear it's   true,
E    F♯m  E     A    A/C♯  D     F♯m  E          :‖
I was just about to say I    love you (love   you).
```

Verse 3

```
         A              E     D
Now my body is shaking like a wave on the water,
E      A                 E     D
And I guess that I'm beginning to  grin.
         A              E     D
Oh we're finally alone and we can do what we want to.
```

G
The night is young,

Bm   C#m D   E
Ain't no-one gonna know where you,

Bm   C#m D   E
No-one gonna know where you,

Bm   C#m D   E   A
No-one's gonna know where you've been.

Verse 4

        A   E   D
You were licking your lips and your lipstick shining,

    A   E D
I was dying just to ask for a taste.

      A   E D
We were lying together in a silver lining,

   G
By the light of the moon.

            Bm C#m D   E A
You know there's not another moment to waste.

Chorus 2

              D   Asus⁴   A
‖: And then you took the words right out of my mouth,

        G   A
Oh it must have been while you were kissing me.

    D   Asus⁴   A
You took the words right out of my mouth,

         Bm C#m D
Oh and I swear it's true,

E   F#m E   A A/C# D   F#m E
I was just about to say I   love you (love you). :‖

Coda

         A
And then you took the words,

        E D
Right out of my mouth.
                 (must have been while you were

     A
‖: You took the words,
      kissing me.)

        E D
Right out of my mouth.
              (must have been while you were :‖ *Play 8 times*

 N.C.
‖: You took the words right out of my mouth,

It must have been while you were kissing me. :‖ *Repeat to fade*

123456789